Isabelle Montésinos-Gelet • Marie-France Morin

Les orthographes approchées

Une démarche pour soutenir l'appropriation de l'écrit au préscolaire et au primaire

Chenelière Éducation

Les orthographes approchées
Une démarche pour soutenir l'appropriation de l'écrit
au préscolaire et au primaire

Isabelle Montésinos-Gelet et Marie-France Morin

© 2006 Les Éditions de la Chenelière inc.

Édition : Lise Tremblay
Coordination : Josée Beauchamp
Révision linguistique : Ginette Laliberté
Correction d'épreuves : Isabelle Rolland
Conception graphique et infographie : Fenêtre sur cour
Conception de la couverture : Michel Bérard
  et Nora Simard

**Catalogage avant publication
de Bibliothèque et Archives Canada**

Montésinos-Gelet, Isabelle

Les orthographes approchées : une démarche pour soutenir l'appropriation de l'écrit au préscolaire et au primaire

(Chenelière/Didactique. Langue et communication)
Comprend des réf. bibliogr.

ISBN 2-7650-1119-2

1. Français (Langue) – Orthographe – Étude et enseignement (Préscolaire). 2. Français (Langue) – Orthographe – Étude et enseignement (Primaire). 3. Français (Langue) – Écriture – Étude et enseignement (Préscolaire). 4. Français (Langue) – Écriture – Étude et enseignement (Primaire). I. Morin, Marie-France, 1973- . II. Titre. III. Collection.

LB1140.5.R4M66 2006   372.62   C2006-940633-2

**Chenelière
Éducation**

7001, boul. Saint-Laurent
Montréal (Québec)
Canada H2S 3E3
Téléphone : (514) 273-1066
Télécopieur : (514) 276-0324
info@cheneliere.ca

ISBN 2-7650-1119-2

Dépôt légal : 2e trimestre 2006
Bibliothèque et Archives nationales du Québec
Bibliothèque et Archives Canada

Imprimé au Canada

1 2 3 4 5 IS 10 09 08 07 06

Nous reconnaissons l'aide financière du gouvernement du Canada par l'entremise du Programme d'aide au développement de l'industrie de l'édition (PADIÉ) pour nos activités d'édition.

Gouvernement du Québec – Programme de crédit d'impôt pour l'édition de livres – Gestion SODEC.

À Marc, Emmanuelle et Seymour
JMG

À Jean-Claude
MFM

Remerciements

Cet ouvrage didactique, qui se veut un outil de réflexion et d'accompagnement pour les enseignantes et les enseignants du préscolaire et du primaire, n'aurait pu voir le jour sans l'apport de plusieurs personnes. D'abord, le travail de l'équipe de recherche-action *L'écrit à petits pas,* comme chercheurs, nous a permis de collaborer avec des enseignantes du préscolaire (Johanne Garneau, Francine Giroux, Josée Laflamme, Nathalie Laroche, Danielle Mercier, Lise Meunier, Marie-France Meunier et Suzanne Spénard), des conseillères pédagogiques (Lise Dubois, Hélène Giroux, Marie-France Choinière et Pauline Proulx) et une étudiante chercheuse (Annie Charron). Depuis 2001, ce travail de collaboration a permis d'enrichir les connaissances de chaque membre. De plus, il a suscité des pratiques novatrices souples et très diversifiées. Celles-ci ont fait progresser de nombreux enfants au moment de leur entrée dans l'univers de l'écrit.

Ce travail pour développer et concrétiser la pratique des orthographes approchées en classe vise à soutenir les apprentissages langagiers des élèves. Le Fonds pour la formation de chercheurs et l'aide à la recherche a financièrement soutenu ce travail sur le plan scientifique (FCAR, subvention 2001-2004). De même, sur le plan pédagogique, c'est la commission scolaire des Grandes-Seigneuries qui nous a appuyées. Nous remercions ces deux organisations pour leur soutien financier.

Par cet ouvrage, nous voulons rendre hommage aux nombreux enfants qui ont été les premiers à vivre véritablement les orthographes approchées. À maintes reprises, ils disaient à leur enseignante : « Regarde mon écriture, tu vois comme je m'approche ! »

Isabelle Montésinos-Gelet

Marie-France Morin

Préface

Parents, enseignants et même chercheurs ont longtemps considéré que l'apprentissage effectif de la lecture ne commençait vraiment qu'au moment des premières leçons enseignées au début de l'école primaire. Le contact avec la langue écrite ne pouvait en effet être improvisé, puisqu'il s'agissait de guider rigoureusement l'écolier sur le chemin, bien balisé, de la rencontre avec un écrit définitivement fixé, inscrit dans une culture, des traditions, des formes reconnaissables par tous les utilisateurs de ces écrits et, pour le français, pareillement lisibles, que l'on soit à Bruxelles, à Québec, à Paris ou à Genève. Dans cette manière de concevoir l'apprentissage de l'écrit, la lecture était première, et l'apprentissage de l'orthographe débutait le plus fréquemment avec des exercices de copie. Dans ce cas, il ne pouvait être question que d'une « bonne » orthographe, et cette dernière ne pouvait s'inventer. On sait qu'en ce domaine, la variation est perçue habituellement comme une « faute ».

C'est dire que parler d'orthographes « approchées », comme le proposent ici Isabelle Montésinos-Gelet et Marie-France Morin, constitue un renversement de perspectives. De quoi est-il question en effet, dans cette approche de l'orthographe ?

Il ne serait pas possible de comprendre comment nous en sommes venus à cette manière de voir et de consolider la rencontre du jeune enfant avec l'écrit si nous ignorions les travaux effectués par les chercheurs depuis plusieurs décennies. Ce sont eux, les premiers, qui ont senti que nous avions besoin, pour comprendre la nature des difficultés qu'éprouvaient beaucoup d'enfants à maîtriser la lecture et l'orthographe et pour les aider à réussir leurs apprentissages, de nous mettre sur leurs pas, à leur écoute. Ainsi, nous pourrions étudier leurs questionnements, leurs hésitations et mettre à jour leurs idées sur l'écrit.

Ces chercheurs ont imaginé des méthodes pour recueillir ces idées des enfants et c'est la proposition faite à l'enfant d'essayer d'écrire alors qu'il ne sait pas encore lire qui nous est apparue, assez vite, comme la meilleure méthode pour saisir ce qui se passe dans la tête des enfants, dans leur jeune intelligence de la langue écrite. Isabelle Montésinos-Gelet et Marie-France Morin retracent très précisément ces travaux. Elles montrent bien en quoi, à côté de « la part de l'enseignant » dans les apprentissages, nous avons tout intérêt à faire sa place, toute sa place, à « la part de l'enfant » dans son propre apprentissage.

La recherche a permis de décrire et de soulever les questions que se posent effectivement les jeunes enfants. De plus, elle a permis de déterminer leurs manières d'y répondre, de comprendre les processus de résolution de ces problèmes et ce qui permet d'expliquer, au moins partiellement, le choix de telle ou telle démarche de pensée et de conduite. C'est à Emilia Ferreiro, grâce à son imagination créatrice, à sa rigueur méthodologique et à sa solide formation théorique, que l'on doit les avancées majeures dans ce domaine.

Isabelle Montésinos-Gelet et Marie-France Morin s'inscrivent pleinement dans cet ensemble de recherches auquel, à leur tour, elles ont contribué de manière forte et décisive.

Ce n'est que progressivement que ces recherches ont gagné le terrain de l'enseignement. Il ne pouvait être question de faire prendre des risques aux écoliers avant d'être assuré que cette nouvelle démarche présentait des garanties d'efficacité et de bénéfices significatifs et durables pour les apprenants. C'est pourquoi de nombreuses équipes se sont engagées dans des travaux d'application et de vérification, que relatent précisément Isabelle Montésinos-Gelet et Marie-France Morin.

Ces auteures se sont engagées elles-mêmes dans ces applications. Elles peuvent à présent proposer aux enseignants tout un ensemble de situations qu'elles ont longuement expérimentées. Ces situations sont riches, précisément décrites, donc assez directement utilisables. De plus, ces situations sont propres à favoriser cette approche de l'orthographe qui permet de prendre en compte ce qui se passe dans la tête des écoliers, de s'appuyer sur leurs connaissances, sur leurs erreurs aussi. Elles savent varier les supports, faire appel à la bande dessinée et aux calligrammes pour présenter des situations de confrontation à l'orthographe dès le préscolaire et pour tous les échelons du primaire. Des témoignages d'enseignantes ponctuent ces aides prévues explicitement pour l'enseignement.

L'orthographe n'est pas à inventer, puisqu'elle préexiste – de quelques siècles ! – au questionnement de tout apprenti lecteur et scripteur. L'inventivité de chacun n'a rien à y voir : ce sont des règles, certes pas toujours très logiques, qui organisent les systèmes d'écriture. L'orthographe facilite la communication aisée et rapide entre les utilisateurs d'un même système d'écriture : elle est donc nécessaire. L'indiquer comme un objectif d'apprentissage, c'est signifier cette exigence d'une stabilité suffisante des formes écrites d'une langue. Mais apprendre l'orthographe suppose, chez l'enfant, une activité qui s'inscrit dans un contexte de communication, de relation aux autres lecteurs et scripteurs de l'enfant, une activité qui témoigne de la part de l'enfant dans l'apprentissage et l'appropriation des connaissances. Il ne suffit pas d'enseigner, et l'enseignement doit prendre appui sur cette activité d'intelligence du monde. Permettre à l'enfant d'approcher l'orthographe, c'est l'autoriser à réfléchir sur le but de la communication écrite, les contraintes de la communication différée, les règles de l'orthographe. C'est aussi l'amener à se décentrer (comment celui à qui j'écris va-t-il comprendre ce que je veux lui dire ?) et à s'investir dans une production d'écrit et une démarche de lecture qui ne soient pas qu'une discipline à apprendre à l'école, mais une ouverture à nombre de possibles. L'autoriser à approcher l'orthographe, c'est l'amener à être auteur : autoriser, ici, c'est en quelque sorte « auteuriser »...

Jean-Marie Besse
Professeur de psychologie à l'Université Lyon 2, France

Table des matières

Chapitre 1

Que sont les orthographes approchées ?

Chapitre 2

Pourquoi mettre en pratique les orthographes approchées en classe ?

Chapitre 3

La mise en œuvre des pratiques d'orthographes approchées en classe

Chapitre 4

Les activités intégrant les orthographes approchées au préscolaire et au primaire

Avant-propos

Depuis plusieurs millénaires, les hommes se sont dotés d'un outil extrêmement précieux : l'écriture. Celle-ci permet de fixer la pensée du scripteur, de la contenir à l'aide de signes graphiques, de la maintenir ainsi fixée dans l'attente qu'un lecteur en hérite. Pour le lecteur, cet héritage est une occasion de découvertes variées. Il peut ainsi avoir accès à des savoirs et à des expériences qui dépassent ce qu'il pourrait découvrir seul, sans cet héritage. Pour le scripteur, cet outil lui permet d'éprouver sa propre pensée, de la construire et de la partager.

Cet outil, malgré son utilité, est complexe à manier. De nombreuses années sont nécessaires pour maîtriser les subtilités de l'écriture et de la lecture. De nos jours, c'est à l'école que revient le rôle de transmettre ce précieux outil et les moyens de s'en servir. Toutefois, les enfants n'attendent pas de commencer leur scolarisation pour remarquer la présence de l'écrit dans leur environnement et pour s'interroger à son sujet. Très rapidement, alors qu'ils ne sont encore que des bébés, ils constatent que ces marques graphiques sont porteuses de sens et qu'elles ont une influence sur leurs proches. Une lettre peut réjouir ; une facture, inquiéter ; un article, piquer la curiosité ; un album partagé avant de dormir, apaiser. L'écriture, porteuse de sens, ne laisse pas indifférent. Ces émotions variées que les enfants ressentent relativement à l'écrit nourrissent leur rapport à cet outil. En éducation, il existe différents termes pour décrire ce rapport de l'enfant à l'écrit : on parlera d'éveil, d'émergence ou encore d'appropriation. La notion d'appropriation de l'écrit nous semble particulièrement intéressante dans la mesure où elle n'est pas limitée à un moment particulier de l'existence. Comme le précise Besse, qui privilégie ce terme, « le rapport de chaque individu à l'écrit n'est pas stable au long de l'existence : il se construit dès avant l'école, se modifie au contact de cette dernière du fait des apprentissages, puis évolue en fonction des activités personnelles et professionnelles de l'adulte » (Besse, 1995, p. 96).

Avant l'école, tous les enfants ne sont pas sensibilisés de manière équivalente à la langue écrite. Certains y sont largement exposés et sont incités à se poser des questions à son sujet, d'autres le sont moins. La maîtrise d'un outil vient de la conscience de sa nécessité et du temps qu'on passe à vouloir en comprendre le fonctionnement et à s'exercer à son maniement. Ainsi, les enfants arrivent à l'école maternelle avec des rapports à l'écrit très diversifiés. Le mandat que reçoivent alors les enseignants est de permettre à tous leurs élèves de poursuivre leur appropriation de l'écrit afin qu'ils maîtrisent la lecture et l'écriture après quelques années de scolarisation. Pour remplir ce mandat, il convient de préciser le contexte et les pratiques qui seront les plus à même de soutenir cette appropriation.

Dans cet ouvrage, nous allons proposer un moyen de soutenir l'appropriation de l'écrit au préscolaire et au primaire en présentant une démarche : les orthographes approchées. Après avoir défini ce que sont les orthographes approchées, nous expliquerons leur intérêt pour les élèves et les enseignants.

Nous présenterons sommairement différentes recherches expérimentales en faveur des orthographes approchées et, plus en détail, une recherche réalisée dans huit classes du préscolaire au Québec. Par la suite, nous préciserons comment mettre en œuvre des pratiques d'orthographes approchées en classe. Ainsi, nous suggérerons différentes pistes didactiques et proposerons 12 activités à titre d'exemples.

Chapitre 1

Que sont les orthographes approchées?

our définir ce que sont les orthographes approchées, il convient tout d'abord de préciser ce qu'est l'orthographe, ce qui en justifie l'apprentissage et comment fonctionne l'orthographe française.

L'orthographe française

L'orthographe correspond à une norme relative à la manière d'écrire un mot. Cette norme contraignante évolue dans le temps. La contrainte de la norme orthographique se ressent clairement lorsque l'on considère comment sont nommés les écarts à celle-ci dans les productions écrites – des *fautes* – et la dévalorisation sociale de ceux qui commettent abondamment de tels écarts en écrivant. Le terme *faute* est largement associé à un manquement moral, à une mauvaise action. Ce rapport à l'orthographe, caractérisé par la crainte de la faute, conduit à l'inhibition du scripteur en développement. Ainsi, bien souvent, le scripteur va renoncer à l'écriture, de crainte d'avoir à porter la culpabilité de ses fautes. Que convient-il de faire? Supprimer la contrainte de la norme orthographique? Non. Cette contrainte est nécessaire et il est essentiel, dans l'enseignement, de faire prendre conscience de l'origine de cette nécessité.

Lorsqu'on demande à un public adulte pourquoi il est nécessaire de respecter l'orthographe, deux types de réponses sont le plus souvent apportés: pour ne pas être dévalorisé et pour être compris. La première réponse correspond à la façon dont la maîtrise de la langue (et de manière encore plus marquée, celle de la langue écrite et de l'orthographe) conditionne les perceptions sociales relatives à la hiérarchisation des individus dans la société. Effectivement, le souhait de se voir reconnu constitue une raison valable de respecter l'orthographe. Toutefois, il s'agit là d'une raison extrinsèque, et on peut se demander s'il existe également des raisons intrinsèques de maîtriser l'orthographe.

Être compris est souvent une autre réponse apportée pour justifier la nécessité de la maîtrise orthographique. Néanmoins, un message écrit qui ne respecte pas la norme orthographique du français tout en étant correct pour ce qui est des règles de correspondance phonogrammique de cette langue sera généralement très bien compris. À titre d'exemple, considérons la phrase suivante : *jème bocou menjé ché mami*. Malgré le fait que l'orthographe française n'est pas respectée, le sens énoncé est tout à fait compréhensible. Ainsi, la maîtrise de la norme orthographique n'est pas strictement nécessaire à la compréhension.

Pourquoi respecter la norme orthographique ?

En dehors d'une certaine valorisation sociale accompagnant cette maîtrise, pourquoi est-il nécessaire de consentir aux efforts visant l'appropriation de l'orthographe ? Reprenons notre exemple (*jème bocou menjé ché mami*). Certes, le sens de cette phrase est parfaitement accessible malgré son irrégularité orthographique. Par contre, le lecteur doit, pour accéder à ce sens, décoder chacun des mots en convertissant les phonogrammes (lettre ou groupe de lettres) en phonèmes (sons) de manière à trouver la forme orale du message. Ce décodage est lourd et coûteux en ressources attentionnelles. Pour un lecteur habile, la même phrase écrite en respectant l'orthographe sera beaucoup plus rapide à lire. En effet, le respect de la forme orthographique des mots permet au lecteur de reconnaître directement les mots de manière lexicale. Ainsi, l'appropriation de l'orthographe conventionnelle accroît la rapidité de l'identification des mots en lecture et de la production de ceux-ci en écriture. C'est précisément à cause de ce gain dans la maîtrise de la langue écrite qu'il est important de consentir aux efforts liés à la maîtrise de l'orthographe.

Cette analyse, qui permet de dégager une raison intrinsèque de maîtrise de l'orthographe, repose sur le modèle de la double voie orthographique. Selon ce modèle, on considère que le lecteur-scripteur dispose de deux voies d'accès à la langue écrite. L'une d'elles, indirecte, est la voie phonologique. Elle se caractérise par la nécessité d'avoir recours à une conversion des phonèmes en phonogrammes dans le processus d'écriture ou des phonogrammes en phonèmes dans le processus de lecture. L'autre, directe, est la voie lexicale. Elle permet, si le mot est connu et mémorisé, de le reconnaître ou de le produire globalement et rapidement. La voie phonologique est très fortement mobilisée au début de l'apprentissage, lorsque le bagage de mots mémorisés est encore peu important. En effet, elle permet d'identifier des mots qui ne sont pas encore connus du lecteur. La voie lexicale, quant à elle, est de plus en plus utilisée avec l'expérience grandissante de la langue écrite. Cependant, les deux voies demeurent constamment utiles, même si leur usage respectif varie en fonction de la maîtrise accrue de la langue écrite.

En plus de ces deux voies, un troisième mécanisme, qui correspond à l'interaction entre la voie phonologique et la voie lexicale, a également été décrit. Il s'agit de la capacité à établir des analogies entre les mots et à se servir du mot le plus familier pour écrire celui qui l'est moins. Au début, ces analogies sont essentiellement phonologiques. Par exemple, un jeune scripteur peut se servir de son prénom, *Julien*, pour écrire le mot *bien*. Au fur et à mesure que l'expertise se développe, les analogies deviennent morphologiques. Par exemple, un scripteur de plus en plus expérimenté peut se servir du mot _cinéma_ afin d'écrire une première fois le mot _cinétique_; il considère alors le lien sémantique entre ces deux mots qui concerne le mouvement.

Ainsi, au regard du modèle de la double voie orthographique (Écalle et Magnan, 2002) et de la description de la stratégie analogique (Goswami, 2002), la maîtrise de l'orthographe est une voie incontournable afin d'utiliser la langue écrite de manière efficace et rapide. Non seulement la maîtrise de l'orthographe permet d'être valorisé au point de vue social, mais aussi de parfaire le maniement de ce précieux outil qu'est la langue écrite. Avant de décrire comment contribuer à un développement optimal des habiletés orthographiques en français, il convient de dépeindre avec précision le fonctionnement de l'orthographe française.

Le français écrit est une langue dite alphabétique, compte tenu du fait qu'elle nécessite de faire correspondre des lettres ou groupes de lettres (phonogrammes) à des sons (phonèmes). Notre alphabet, qui vient du latin, est composé de 26 lettres auxquelles s'ajoutent, sur certaines d'entre elles, des signes diacritiques (les accents, la cédille et le tréma). En ce qui concerne les phonèmes, la langue française possède de 17 à 20 consonnes – selon que, dans les descriptions, sont considérés les phonèmes issus d'autres langues et présents en français par suite de l'intégration de certains mots (comme le [ŋ] de _camping_) –, 16 voyelles et 3 semi-voyelles. Jean-Pierre Jaffré et Michel Fayol précisent que «les correspondances alphabétiques entre phonèmes et lettres sont loin de se faire terme à terme. Un phonème peut correspondre à plusieurs lettres et, inversement, une lettre peut correspondre à plusieurs sons. On dit que ces correspondances ne sont pas biunivoques» (1997, p. 37). Cette caractéristique contribue à rendre l'orthographe française difficile à maîtriser.

Même si le français est une langue qui obéit à un principe alphabétique, comme nous venons de le voir, les unités qui la composent ne s'y limitent pas. En fait, la linguiste Nina Catach (1995) présente le français écrit comme un plurisystème graphique composé de trois principes: phonogrammique, morphogrammique et logogrammique (_voir le tableau 1.1 à la page suivante_).

On le constate aisément à la lumière de cette brève description, l'orthographe française présente une certaine complexité. De ce fait, elle demande du temps pour être comprise et maîtrisée. L'appropriation de l'orthographe est analogue à une marche, plus ou moins rapide en fonction des individus, plus ou moins difficile. Dans le contexte d'une marche, plusieurs aspects sont importants: les ressources biologiques propres au marcheur, sa façon de s'investir dans cette activité, le sens que le marcheur donne à son effort, sa motivation à atteindre un but, le chemin choisi, l'environnement, le soutien (l'eau, la nourriture, etc.) qu'il pourra trouver afin de persévérer dans ses efforts. Dans l'appropriation de l'orthographe, ces aspects sont également importants. Les ressources biologiques de l'enfant, sa capacité à se concentrer, sa résistance à l'effort intellectuel et ses capacités d'abstraction vont jouer un rôle dans son appropriation. Cependant, ce ne sont pas les seuls aspects à considérer. En effet, l'engagement de l'enfant dans son apprentissage,

L'appropriation de l'orthographe est analogue à une marche, plus ou moins rapide en fonction des individus, plus ou moins difficile.

Tableau 1.1 Trois principes liés au français écrit (Catach, 1995)

Principe	Précision
phonogrammique	Ce principe consiste à transcrire des phonèmes en phonogrammes. Ces derniers occupent environ 80 % des marques du français écrit. Les phonogrammes peuvent être représentés de différentes façons : ils peuvent être simples, c'est-à-dire formés d'une seule lettre (par exemple « i », « r » ou « t ») ; ils peuvent porter un signe diacritique (par exemple « é », « ï » ou « ç ») ; ils peuvent être formés de deux lettres (un digramme, par exemple « ch », « gn », « au » ou « on ») ou de trois lettres (un trigramme, par exemple « ein », « ain » ou « eau »).
morphogrammique	Ce principe fait intervenir des graphèmes (une lettre ou un groupe de lettres) pour marquer, d'une part, des éléments grammaticaux – comme le genre (*fort/forte*) ou le nombre (*bon/bons*) – ou, d'autre part, des éléments lexicaux qui précisent l'appartenance d'un mot à une famille de mots (par exemple le « d » muet de *lourd* permet de dériver *lourde*, *lourdeur*, *alourdir*...).
logogrammique	Ce principe fait intervenir des graphèmes différents pour distinguer des homophones (par exemple *pain* et *pin*, *pot* et *peau*). Ce principe permet d'associer directement un sens à une configuration graphique. C'est notamment ce qui conduit les linguistes Blanche-Benveniste et Chervel (1974) à affirmer que le français écrit comporte des particularités qui facilitent la tâche du lecteur et compliquent celle du scripteur. En plus de ces trois principes, Catach (1995) a décrit un autre aspect de l'orthographe française : les idéogrammes qui correspondent aux majuscules, au trait d'union, à l'apostrophe et à la ponctuation.

le sens qu'il donne aux efforts fournis pour s'approprier l'orthographe et la conscience qu'il a de l'intérêt du but visé ainsi que la maîtrise orthographique interviennent également dans cet apprentissage. Enfin, le contexte de cet apprentissage aura, lui aussi, beaucoup d'importance. En effet, pour comprendre et s'approprier l'orthographe, non seulement l'enfant ne cesse de prendre des indices autour de lui en se nourrissant d'information sur la langue écrite, mais il a également besoin de l'encouragement et du soutien de ceux qu'il trouve sur son chemin pour contribuer à donner du sens à son apprentissage. La démarche des orthographes approchées agit précisément sur l'environnement de l'appropriation en s'efforçant d'offrir un contexte porteur, riche en information et en encouragements.

Les principes à la source des orthographes approchées

Pour définir les orthographes approchées, nous allons dégager et présenter les principes à la source de cette démarche.

Nous avons vu que, pas à pas, l'enfant s'approche de la compréhension du système. Il faut également ajouter qu'il s'approche de la langue écrite en cherchant à s'en servir. C'est d'ailleurs précisément parce qu'il cherche à se servir de l'écriture qu'il progresse dans la maîtrise de celle-ci ; un peu comme c'est le cas avec la langue orale, c'est en cherchant à parler et à comprendre ce qui lui est adressé que l'enfant apprend à parler. *Dans les orthographes approchées, il s'agit justement de placer l'enfant dans une situation où il est amené à se servir de la langue écrite. C'est le premier aspect de cette démarche. Chercher à se servir de la langue écrite quand on n'en sait encore que peu de choses, cela incite clairement à s'interroger et à vouloir en savoir plus.*

Bien sûr, lorsqu'on demande à un très jeune enfant d'écrire, les traces produites sont en général encore assez éloignées du fonctionnement effectif du système. Néanmoins, en produisant ces traces, l'enfant révèle ce qu'il considère comme étant de l'écriture. Les premières tentatives de production de mots à l'oral sont, elles aussi, souvent distantes de la forme conventionnelle. Toutefois, loin d'attrister les proches de l'enfant, ces tentatives de prise de parole, même déformées, les émerveillent. Les proches cherchent à comprendre ce que ces tentatives signifient et ils encouragent l'enfant à en produire encore. Par rapport à l'écrit, il pourrait en être de même. On peut tenter de mettre en relief, dans les productions de l'enfant, ce qui fait déjà partie du système, plutôt que d'écarter les tentatives jugées erronées. *Il s'agit, dans ce cas, de se mettre à l'écoute des représentations de l'enfant par rapport à la langue écrite. C'est un deuxième aspect qui caractérise la démarche des orthographes approchées.*

Être à l'écoute des représentations de l'enfant en cherchant à mettre en relief ce qu'il a déjà construit du système d'écriture conduit l'adulte à adopter un autre rapport à l'erreur. Dans ce contexte, les écarts à la norme ne sont pas perçus comme des fautes, mais plutôt comme des moments de l'évolution. De plus, ce qui est considéré en priorité, mis en valeur et renforcé chez l'enfant, ce sont les aspects du système qui sont d'ores et déjà intégrés. Par exemple, un enfant de trois ans peut imiter l'écriture et produire des tracés en vagues. Si l'on adopte un point de vue normatif, on considérera qu'il est bien loin de la norme. Au contraire, on peut remarquer et valoriser les aspects du système que l'enfant a respecté : une production linéaire et orientée (éventuellement de gauche à droite). Au regard de la façon dont il se relit, on peut être surpris de le voir se relire en prononçant les syllabes de son message et en suivant du doigt la trace de celui-ci. Dans cette optique, on cherche à savoir où en est l'enfant et on l'encourage à poursuivre son chemin. *Valoriser ce que l'enfant construit en cherchant à le mettre en relief grâce à nos demandes et à nos questions est un troisième aspect qui définit les orthographes approchées.*

Pour comprendre l'orthographe et se l'approprier, l'enfant a également besoin de l'encouragement et du soutien de ceux qui se trouvent sur sa route pour donner du sens à son apprentissage.

Toutefois, dans cette démarche, il ne s'agit pas simplement d'inciter l'enfant à écrire et de le valoriser. Il convient aussi de l'accompagner dans son effort pour donner du sens à la langue écrite. Gérard Chauveau (2003) dégage trois questions fondamentales qui occupent l'enfant dans son appropriation de la langue écrite : « À quoi ça sert ? », « Comment ça fonctionne ? », « Comment faire pour la maîtriser ? » Par l'entremise des orthographes approchées, l'enfant trouve de quoi nourrir sa réflexion par rapport à ces questions. En effet, il ne se limite pas à écrire. *Étant invité à expliquer comment il a procédé, l'enfant est encouragé à être réflexif par rapport à la langue écrite. Cette réflexivité mise en œuvre par rapport à la langue écrite est un quatrième aspect qui caractérise les orthographes approchées.*

Les contextes signifiants qui seront adoptés pour mettre en situation les pratiques d'orthographes approchées permettront de donner des pistes à l'enfant qui cherche à comprendre à quoi sert l'écrit.

Les contextes signifiants qui seront adoptés pour mettre en situation les pratiques d'orthographes approchées permettront de donner des pistes à l'enfant qui cherche à comprendre à quoi sert l'écrit. Le fait de chercher à écrire des mots ou des phrases dont la forme orthographique est encore inconnue permettra de mobiliser les connaissances déjà acquises sur la langue. Ainsi, ces dernières lui permettront de résoudre le problème linguistique posé et contribueront à nourrir sa réflexion sur le fonctionnement de la langue écrite. Dans un tel contexte de résolution de problèmes linguistiques, le partage de connaissances avec d'autres enfants engagés dans le même effort peut constituer une aide significative. Par exemple, en début de maternelle, la majorité des enfants savent écrire leur prénom. Ils ne connaissent pas nécessairement l'ensemble des lettres de l'alphabet mais, en général, ils connaissent celles de leur prénom. Un seul enfant va donc maîtriser un certain répertoire de lettres. Toutefois, dans son effort de résolution de problème, s'il est aidé par deux autres enfants, à eux trois, ils vont bénéficier d'un plus large éventail de connaissances et d'expériences. S'ils sont mis en situation de devoir s'entendre sur une solution commune, ils seront amenés à chercher à faire comprendre et à convaincre les autres du bien-fondé de leur hypothèse. Ainsi, ils vont partager leurs connaissances et exposer la logique qu'ils ont suivie. *Le partage des connaissances, tout comme celui des stratégies utilisées pour parvenir à écrire, est un cinquième aspect qui caractérise les orthographes approchées.*

En résumé, nous pouvons dire que pour réaliser des orthographes approchées en classe, il faut placer l'enfant dans une situation où il est amené à se servir de la langue écrite. Il convient ensuite de se mettre à l'écoute de ses représentations par rapport à la langue écrite en les faisant ressortir grâce à nos demandes et à nos questions. Dans ce but, il faut valoriser ce que l'enfant a construit, chercher à développer sa réflexivité et l'inviter à partager ses connaissances et ses stratégies. Avec une telle conception des orthographes approchées, on comprend aisément qu'on puisse les réaliser tout au long de la scolarité et non simplement au moment d'aborder l'écrit. Cette façon de procéder s'oppose à une certaine croyance qui cantonne cette démarche aux premiers apprentissages, avant que ne s'amorce l'enseignement systématique de la lecture et de l'écriture. Il peut être utile de retracer d'où vient cette croyance en décrivant rapidement en quoi consiste la tradition de recherche d'où ont émergé les orthographes approchées.

L'origine des orthographes approchées

Il y a déjà longtemps que des chercheurs comme Luria (1929, 1983) ou Vygotsky (1930, 1978) s'interrogent sur le rapport à l'écrit des enfants avant la scolarisation. Toutefois, en cherchant un peu, on pourrait faire remonter la naissance de ce questionnement bien plus tôt. À l'époque, il n'était pas encore vraiment question d'orthographes approchées. Ces dernières ont émergé de la tradition des recherches concernant l'*invented spelling*, dont la traduction française est *orthographes inventées* ou encore *écritures inventées*.

La création du terme *invented spelling* date d'une trentaine d'années. Les pionniers qui ont introduit cette notion sont Carol Chomsky (1971), Charles Read (1971, 1986), Emilia Ferreiro (1980, 1984) et Ana Teberosky (1982). Ils ont précisé l'idée que la maîtrise de l'orthographe, loin d'être simplement le fruit d'une transmission de savoirs, relève d'un processus développemental dans lequel l'enfant est activement engagé. Pour eux, il s'agissait de décrire et de comprendre les étapes que l'enfant franchissait pour maîtriser l'orthographe. Des descriptions et des modèles du développement orthographique qui ont vu le jour à la suite de leurs travaux (Ehri, 1986 ; Ferreiro et Teberosky, 1982 ; Frith, 1985 ; Frost, 2001 ; Gentry, 1982 ; Henderson, 1985) partagent le postulat selon lequel il existe une progression universelle par étapes.

> La maîtrise de l'orthographe, loin d'être simplement le fruit d'une transmission de savoirs, relève d'un processus développemental dans lequel l'enfant est activement engagé.

L'universalité du développement est l'idée qui a conduit Carol Chomsky à affirmer que « les inventions des enfants ont un caractère relativement systématique, et elles convergent vers un système orthographique très semblable d'un enfant à l'autre » (1979). Cette idée a été contestée par d'autres chercheurs, car elle ne permet pas de rendre suffisamment compte des variations intra et inter individuelles observées chez les enfants (Besse et l'ACLE, 2000 ; Jaffré et David, 1998 ; Montésinos-Gelet, 2001a et 2001b) et qu'elle ne tient pas compte des caractéristiques de la langue faisant l'objet de l'effort d'appropriation (Jaffré et David, 1993 ; Luis, 1998). L'idée d'un développement par étapes, qui suggère un changement qualitatif dans les modes de fonctionnement de l'enfant, a, elle aussi, été contestée. En effet, certains chercheurs voient dans ce développement des changements de nature quantitative (Treiman et Bourassa, 2000 ; Varnhagen, McCallum et Burstow, 1997).

Néanmoins, malgré certaines divergences au sujet de la façon de concevoir le développement de l'enfant, les pionniers et leurs opposants s'entendent sur un point. Ce dernier porte sur l'intérêt de formuler des orientations pédagogiques et didactiques afin de favoriser le développement orthographique des enfants à partir des observations réalisées pour décrire le développement. Les pionniers avaient déjà contribué à faire connaître et valoir l'idée que les orthographes inventées peuvent constituer un moyen efficace pour favoriser l'appropriation de la langue écrite avant que ne commence l'enseignement formel et systématique qui caractérise l'entrée à l'école primaire. Certains auteurs, poursuivant cette réflexion, ont transposé les orthographes inventées comme moyen d'observer le développement orthographique de l'enfant en moyen d'y contribuer en formulant des propositions pédagogiques et didactiques (Cunningham et Cunningham, 1992 ; Invernizzi, 1994 ; Miller, 2002 ; Rubin et Eberhardt, 1996 ; Shilling, 1997 ; Sipe, 2001). D'autres ont commencé à évaluer la mise en œuvre de ces propositions (Brasacchio, Kuhn et Martin, 2001 ; Clarke, 1988 ; Gettinger, 1993 ; Nicholson, 1996). Nous en parlerons en détail plus loin.

La tradition de cette ligne de recherche ne se limite pas aux deux aspects présentés plus haut. La recherche de liens entre le développement orthographique des enfants et d'autres habiletés langagières, notamment la conscience phonologique (Frost, 2001 ; Griffith, 1991 ; McBride-Chang, 1998 ; Silva et Alves Martins, 2003 ; Tangel et Blachman, 1992 ; Vernon et Ferreiro, 1999) et la lecture (Richgels, 1995 ; Uhry, 1999), est également un aspect de cette tradition. Un autre aspect touche la prise en considération de caractéristiques particulières de l'enfant sur son développement orthographique. Les caractéristiques les plus souvent retenues sont la scolarisation en langue seconde (Araujo, 2002 ; Chapman et Michaelson, 1998 ; Riojas Clark, 1995), la surdité (Allman, 2002 ; Johnson, 1994) et la défavorisation (Center, Freeman et Robertson, 1998).

Si les orthographes approchées appartiennent à cette tradition, on peut s'interroger sur les raisons qui nous ont conduites à changer de terminologie. Pourquoi passer de l'expression *orthographes inventées* ou *écritures inventées* à celle d'*orthographes approchées*? Ce n'est que récemment, alertées par Laurence Rieben (2003), que nous avons approfondi notre réflexion afin de déterminer l'expression qui nous semblait la plus appropriée. Rieben considère que le terme *écriture inventée* est problématique, car l'enfant n'invente pas un code. L'enfant tente plutôt d'utiliser les connaissances qu'il a déjà acquises sur la langue écrite. Trois problèmes terminologiques se présentaient à nous. Quel terme choisir : *orthographe* ou *écriture*? Comment qualifier ce terme adéquatement? L'expression devait-elle apparaître au singulier ou au pluriel?

Dans l'article où nous avons initialement utilisé ce terme (Montésinos-Gelet et Morin, 2001), nous expliquons ce qui justifie notre choix de parler d'orthographe plutôt que d'écriture : « le jeune enfant qui s'efforce d'écrire avec ses idées est en relation avec quelque chose qui existe, la norme orthographique » (p. 160). Le mot *orthographe* fait référence à un système organisé qui existe en dehors de l'individu et qui est régi par un code. Le mot *écriture*, quant à lui, est très largement polysémique, trop pour ne pas être ambigu. Il signifie à la fois la langue écrite, le type de caractères adopté (l'allographe), la manière personnelle de tracer les lettres, le style des textes produits et certains formats de lettres, par exemple certains mots commencent par une majuscule (les Écritures saintes). Il pourrait être avantageux de parler de *langue écrite approchée*, plutôt que d'orthographe, cette dernière n'étant finalement qu'un aspect de la langue écrite approchée. C'est probablement ce qu'un prolongement de nos travaux va nous amener à choisir. Cependant, jusqu'à présent, nos recherches ont surtout été consacrées à réfléchir sur la compréhension par l'enfant du code qui régit l'orthographe, plus que sur d'autres aspects de la langue écrite. Dans cet ouvrage, c'est également ce qui nous occupe en priorité. C'est pourquoi, en attendant de réaliser des travaux qui puissent vraiment nous permettre de parler de la langue écrite approchée, nous choisissons de parler d'*orthographe*.

Comment qualifier adéquatement l'orthographe lorsqu'il est question du rapport de l'enfant à celle-ci? Dans ce cas, l'orthographe est-elle inventée, créative, provisoire, spontanée ou approchée, pour ne reprendre que les termes déjà utilisés par différents auteurs dans cette même tradition de recherche? Inventer, c'est créer ce qui n'existait pas, faire quelque chose de rien. L'enfant n'invente pas l'orthographe, celle-ci lui préexiste et l'environne. Il cherche plutôt à en percer le sens à partir des indices puisés autour de lui. Pourquoi cette expression a-t-elle prévalu dans la tradition? Pourquoi les auteurs qui ont forgé cette expression ont-ils considéré que l'enfant inventait l'orthographe? C'est probablement pour mettre l'accent sur l'activité créatrice de l'enfant face à l'écrit, soulignée notamment par Jaffré (1998). L'impulsion de l'enfant à créer du sens par rapport à la langue écrite est indéniable, puisqu'il pose des hypothèses sur celle-ci. En effet, n'ayant pas encore intégré les savoirs qui lui donneront une certaine maîtrise de l'outil, il doit compenser avec une part de créativité dont témoignent certaines de ses hypothèses. Par contre, cet aspect créatif dans le rapport à l'écrit ne correspond pas à l'essentiel de l'activité de l'enfant, comme nous le verrons plus loin.

Certains parlent d'écriture ou d'orthographe *provisoire* (Boisclair et Sirois, 2000; Fijalkow et Fijalkow, 1993; Prenoveau, 2004). Certes, le jeune enfant qui écrit un mot comme *haricot, AIO,* adopte provisoirement cette façon d'écrire. Toutefois, ce qualificatif ne dit pas grand-chose de l'activité de l'enfant. Il indique plutôt un moment du développement qui sera dépassé et un certain écart par rapport à la vraie orthographe. D'autres, comme le ministère de l'Éducation du Québec (2001), préfèrent parler d'écriture *spontanée,* où l'enfant choisit d'écrire de lui-même, sans y être ni contraint ni incité. Dans une telle optique, à l'intérieur des classes du préscolaire, on trouve des coins de jeux symboliques où sont disponibles des feuilles et des crayons afin d'encourager l'enfant à imiter des comportements de scripteur. Par contre, dans ce type de contexte, ni l'attention de l'enseignant ni celle de l'enfant ne porte sur les hypothèses sous-jacentes à ces productions. Ainsi, ce terme ne nous semble pas approprié puisqu'il correspond à une pratique différente de celle que nous proposons et qu'il informe peu au sujet de l'activité de l'enfant.

Besse (2000), dans son ouvrage écrit en collaboration avec un groupe d'enseignants, l'ACLE, a été le premier à proposer le qualificatif *approchée*[1], qu'il associait pour sa part au terme *écriture*. Nous avons repris ce qualificatif en le liant au terme *orthographe* (pour les raisons exposées plus haut) car, à travers l'expression *orthographes approchées*, nous pouvons mettre l'accent à la fois sur l'activité de l'enfant et l'objet de son approche – l'orthographe conventionnelle. Cette nouvelle expression, tout en ne remettant pas en

---

1. Cependant, Bachelard (1927), dans son *Essai sur la connaissance approchée,* a été le premier à associer ce qualificatif à un contenu lié à la connaissance.

cause l'importance de l'activité créatrice de l'enfant face à l'écrit, fait aussi référence à son cheminement progressif dans l'adoption d'une orthographe de plus en plus normée.

Notre dernier problème terminologique concerne le nombre (singulier ou pluriel) de l'expression. Certains auteurs ont choisi des expressions au pluriel. Par exemple, Jaffré, Bousquet et Massonnet (1999) affirment que le pluriel est mieux adapté puisque (pour eux) les orthographes inventées désignent avant tout les graphies non conventionnelles que les très jeunes enfants produisent. Pour notre part, partant d'une définition des orthographes approchées différente qui ne se limite pas aux productions des jeunes enfants, deux raisons principales nous conduisent à choisir le pluriel. La première est justifiée par une certaine fidélité à Catach (1995), qui décrit l'orthographe française comme un plurisystème orthographique, ce qui implique que l'enfant francophone doit comprendre plusieurs systèmes, d'où la pertinence du pluriel. L'autre raison tient au fait qu'un enfant peut simultanément approcher les orthographes de différentes langues coexistantes, ce qui est le cas d'un très grand nombre d'enfants dans un monde où le plurilinguisme est présent et valorisé.

Maintenant que nous avons défini ce que sont les orthographes approchées, nous allons exposer les raisons qui nous conduisent à considérer que cette démarche favorise le développement de l'enfant par rapport à la langue écrite.

Chapitre 2

Pourquoi mettre en pratique les orthographes approchées en classe?

Nous commencerons notre argumentation en exposant brièvement les avantages de cette démarche pour l'enseignant. Ensuite, nous détaillerons ce qu'une telle démarche apporte à l'enfant, ce qui nous conduira à donner un aperçu des préoccupations de ce dernier dans son appropriation de la langue écrite. Enfin, nous terminerons cette partie en présentant quelques recherches en faveur des orthographes approchées, dont les nôtres.

Les avantages pour les enseignants du préscolaire et du primaire

En classe, les enseignants qui mettent en pratique les orthographes approchées sont généralement étonnés de découvrir la logique des hypothèses que formulent leurs élèves et l'étendue de leurs connaissances. Au préscolaire, il ne s'agit pas d'enseigner des contenus linguistiques aux élèves, mais plutôt de les mettre en situation de les découvrir d'eux-mêmes en respectant leur propre rythme. Les orthographes approchées permettent à l'enseignant de mettre ses élèves, notamment ceux qui sont peu familiers avec l'écrit, dans une situation où ils peuvent s'interroger et poser des hypothèses. Au primaire, les problèmes orthographiques que soulèvent les pratiques d'orthographes approchées peuvent avantageusement servir de base aux leçons de l'enseignant.

En favorisant les orthographes approchées en classe, l'enseignant est en mesure de mieux situer ses élèves en ce qui concerne leurs préoccupations relatives à l'écrit. Ainsi, il peut mieux répondre aux besoins de chacun et davantage différencier son enseignement. Le partage inhérent aux pratiques d'orthographes approchées permet également une certaine différenciation de l'enseignement.

Grâce à cette démarche, l'enseignant développe sa capacité à questionner ses élèves à l'occasion de tentatives d'écriture. Il accorde non seulement une attention particulière à la réponse de l'élève, mais aussi aux processus et aux connaissances que l'élève construit. De plus, l'enseignant permet aux élèves de s'approprier la langue écrite de façon contextualisée et signifiante en variant les formes de regroupement d'élèves (individuel, collectif, petites équipes).

Les avantages pour les élèves du préscolaire et du primaire

Au préscolaire

Comme nous l'avons déjà exposé, la première caractéristique des orthographes approchées consiste à placer l'enfant dans une situation où il est amené à utiliser la langue écrite. Pour l'enfant du préscolaire, chercher à écrire l'incite à observer d'une part la langue écrite autour de lui afin d'en savoir un peu plus et, d'autre part, les comportements des scripteurs dans le but de les imiter. Demander d'écrire à un jeune enfant l'encourage clairement à porter son attention sur la langue écrite et à récolter des indices qui, accumulés, vont lui permettre d'en comprendre le fonctionnement.

La deuxième caractéristique des orthographes approchées consiste à se mettre à l'écoute des représentations de l'enfant par rapport à la langue écrite. Dans une telle perspective, ses productions sont considérées comme des témoignages de son savoir en construction par rapport à la langue écrite; elles sont complétées par ses commentaires, que ces derniers soient spontanés ou en réponse à un questionnement. Cette attention de l'enseignant face au développement de l'enfant conduit celui-ci non seulement à rendre plus explicites ses représentations par rapport à la langue écrite, mais aussi à les confronter. Ainsi, l'enfant est actif dans son appropriation en faisant émerger ses hypothèses par rapport à la langue écrite.

La troisième caractéristique de la démarche est la valorisation de cette activité de réflexion relativement à la langue écrite. Cette valorisation soutient l'estime de l'enfant, son sentiment de compétence, ce qui contribue à sa motivation face au difficile effort d'appropriation. Valoriser la réflexion de l'enfant par rapport à la langue écrite ne signifie pas lui faire croire qu'il produit de manière orthographique alors qu'il ne le fait pas encore. Il s'agit plutôt de mettre en relief ce qui est déjà construit dans ses hypothèses et de valoriser ses efforts et sa volonté de comprendre. Cette attitude de la part de l'enseignant soutient l'enfant en lui donnant davantage confiance en lui dans ses tentatives d'écriture.

La réflexivité par rapport à la langue écrite, qui est le quatrième caractéristique des orthographes approchées, conduit l'enfant à argumenter ses choix orthographiques et à déterminer les stratégies d'écriture qu'il adopte pour répondre à la demande. C'est au moyen de ce travail réflexif que l'enfant en viendra à comprendre le fonctionnement de l'orthographe et à la maîtriser. De plus, cette habitude d'une position réflexive peut se transférer à d'autres

Demander d'écrire à un jeune enfant l'encourage clairement à porter son attention sur la langue écrite et à récolter des indices qui, accumulés, vont lui permettre d'en comprendre le fonctionnement.

Valoriser la réflexion de l'enfant par rapport à la langue écrite ne signifie pas lui faire croire qu'il produit de manière orthographique alors qu'il ne le fait pas encore.

domaines de savoirs et, ainsi, favoriser globalement le développement intellectuel. En effet, ce n'est pas simplement l'orthographe qui peut être approchée à partir d'une telle démarche, mais aussi d'autres savoirs.

Enfin, dans les orthographes approchées, l'enfant bénéficie également du partage des connaissances et des stratégies. Lorsque c'est lui qui expose ses savoirs, il se doit d'être le plus clair possible, ce qui contribue à son développement. Il est admis que le fait d'expliquer permet de consolider ses savoirs. Lorsqu'il reçoit de l'information provenant d'autres enfants, il peut la confronter à ses propres hypothèses et, éventuellement, s'en inspirer pour s'approcher encore davantage de l'orthographe. Ces diverses occasions de partage lui permettent de développer ses compétences sociales et sa capacité à faire entendre son point de vue.

Au primaire

Dans l'ensemble, ce qui est bénéfique pour l'enfant du préscolaire l'est aussi pour celui du primaire : l'incitation à écrire, l'attention portée à ses représentations, la valorisation, l'encouragement à la réflexivité et le partage.

La maîtrise d'un outil tenant en grande partie à la fréquence de son maniement, il est essentiel d'inciter les élèves du primaire à écrire. C'est en écrivant régulièrement qu'ils vont écrire de mieux en mieux. Il est préférable d'écrire tous les jours de courts textes que d'écrire de manière occasionnelle des textes plus longs. Mettre en pratique des orthographes approchées au primaire permet d'acquérir des habitudes d'écriture chez les élèves.

> Il est préférable d'écrire tous les jours de courts textes que d'écrire de manière occasionnelle des textes plus longs.

L'élève du primaire n'ayant pas achevé son développement par rapport à la langue écrite, il est inapproprié de se centrer en priorité sur les écarts à la norme pour évaluer ses productions. Au contraire, il vaut mieux se mettre à l'écoute de ses représentations en valorisant ce qui est en cours de construction. Par exemple, habituellement, si un élève de première année écrit *bato* plutôt que *bateau* dans une dictée, sa production est considérée comme erronée, elle ne correspond pas à la norme. Par contre, cette production témoigne clairement que l'enfant a compris le principe alphabétique et qu'il a intégré au moins ces quatre correspondances phonèmes/phonogrammes, ce qui correspond déjà à des savoirs importants. En ne relevant que l'erreur, on ne met pas l'accent sur ce que l'enfant a déjà construit. Cette attitude contribue à développer chez l'enfant soit une attitude anxieuse par rapport à l'écrit à cause de la crainte de faire des fautes, soit, au contraire, un désintérêt de l'orthographe. L'enseignant apporte beaucoup plus à l'enfant lorsqu'il considère simplement la stratégie phonologique utilisée, qu'il la valorise tout en mettant en relief le fait qu'utilisée seule, elle ne permet pas toujours d'avoir des productions orthographiques. En effet, l'enfant peut réaliser qu'il ne s'agit pas là de la forme orthographique du mot demandé mais que, néanmoins, il s'en approche puisqu'on peut facilement comprendre ce qu'il a écrit. Il établit un autre rapport à ses erreurs, qui deviennent des témoignages de ses savoirs en construction et des occasions pour aller plus loin dans sa compréhension de l'orthographe. Une erreur est, en effet, une occasion de favoriser la pensée.

Dans une situation d'orthographes approchées, l'erreur orthographique présente dans *bato* serait abordée de la manière décrite ci-après. L'enseignant commencerait par dire à l'enfant qu'il est proche puisque le mot peut être lu. Ensuite, l'enseignant valoriserait les savoirs de l'enfant en lui disant qu'il a bien compris que, pour qu'on puisse le lire, il doit chercher à écrire tous les sons. Toutefois, en français, plusieurs sons peuvent s'écrire de manières différentes. C'est pour cette raison que sa production n'est pas tout à fait orthographique. Il pourrait demander à l'enfant si ce dernier a une idée de la partie de son mot qui n'est pas orthographique. Ce faisant, il soutient l'enfant dans la révision de son mot, ce qui est souvent suffisant pour lui permettre de proposer une nouvelle hypothèse, orthographique cette fois-ci. Supposons que l'enfant dit que c'est le /o/ qui ne va pas, que ça doit être un autre type de /o/. L'enseignant pourrait poursuivre en demandant comment l'enfant peut savoir lequel mettre, ce qui conduirait probablement l'enfant à dire qu'il doit le mémoriser pour le savoir. L'enseignant pourrait terminer en informant l'enfant que pour le phonogramme /eau/, la place dans le mot est également un moyen de l'exclure puisqu'il ne se trouve presque jamais au début ou au milieu d'un mot. Ainsi, grâce à une simple discussion autour d'une erreur, l'enfant développe des habiletés à réviser sa production, à déterminer une stratégie efficace (la stratégie lexicale nécessitant la mémorisation) et à recevoir de nouveaux renseignements sur l'orthographe. Ainsi, l'enfant adopte une position réflexive par rapport à la langue, position qui lui donne davantage de maîtrise et de confiance.

> L'enfant adopte une position réflexive par rapport à la langue, position qui lui donne davantage de maîtrise et de confiance.

Au primaire, le partage des savoirs et des stratégies demeure un excellent moyen de favoriser le développement de chacun, quel que soit son niveau initial. En effet, les élèves plus à l'aise avec l'écrit consolident leurs savoirs en les partageant, ceux qui le sont moins peuvent s'approprier les savoirs et les stratégies que les autres leur proposent. Le climat d'aide et de collaboration qui se crée dans une classe où les pratiques d'orthographes approchées sont à l'honneur est très favorable aux apprentissages.

Le développement de l'enfant par rapport à la langue écrite

Nous venons de voir que les pratiques d'orthographes approchées sont susceptibles de soutenir le développement de l'enfant par rapport à l'écrit. Toutefois, nous n'avons pas encore présenté en détail comment s'établit ce rapport à l'écrit. C'est ce que nous allons décrire maintenant. Par contre, nous n'aborderons pas l'historique des différents modèles développementaux car, comme nous l'avons déjà signalé, ces derniers relèvent d'une conception étapiste et universaliste que nous ne partageons pas.

Nous avons vu que l'orthographe française est un plurisystème ayant différents aspects. Il ne s'agit pas d'un objet simple et unidimensionnel. L'enfant qui s'approprie les différentes facettes de l'orthographe ne cherche donc pas à comprendre une seule chose, mais plusieurs aspects plus ou moins simultanément. C'est pourquoi nous retenons l'idée de Besse et l'ACLE (2000) lorsque nous considérons que le scripteur en développement coordonne différentes préoccupations.

Les préoccupations visuographiques

L'apparence visuelle de l'écrit est l'un des aspects que le jeune enfant considère. Celui-ci remarque certaines récurrences: le français écrit est linéaire; l'orientation de gauche à droite est bien souvent visible, et ce, même si l'enfant ne voit la trace qu'après qu'elle soit fixée, grâce au changement de ligne; les lettres de l'alphabet latin peuvent être de diverses formes. Très tôt, la plupart des enfants cherchent à respecter ces différentes caractéristiques lorsqu'ils tentent d'écrire.

Chauveau (1997) a relevé ce qui distingue l'écrit des autres choses visibles. Il apporte une information importante permettant de comprendre ce que l'enfant doit construire comme savoirs grâce à ses préoccupations relatives à l'aspect visuographique. En comparant la reconnaissance d'objets à la reconnaissance de lettres, il fait remarquer que face à une chaise ou au dessin d'une chaise, peu importe le point de vue présenté, on reconnaît qu'il s'agit d'une chaise. Par contre, pour les lettres, il n'en est pas de même; changer l'orientation d'une lettre peut la transformer en une tout autre lettre (par exemple « p », « q », « b » et « d ») ou encore faire en sorte qu'elle ne corresponde plus à aucun signe linguistique. D'un autre côté, bien que les traits constitutifs des allographes d'une même lettre soient souvent différents, l'enfant doit prendre conscience qu'il s'agit de la même lettre, et ce, même si certains allographes sont beaucoup plus proches de l'écriture d'une autre lettre (par exemple « R » a plus de traits en commun avec « B » ou « K » qu'avec « r »). La représentation graphique linguistique se distingue de la représentation figurative. Il s'agit de deux mondes que l'enfant distingue progressivement l'un de l'autre en se préoccupant de comprendre cet aspect de la langue écrite qu'est son apparence matérielle. Le figuratif lui est assurément plus familier; il est plus proche de ses perceptions immédiates. Néanmoins, pour maîtriser la langue écrite, l'enfant doit se plier aux contraintes de la représentation graphique linguistique et en tenir compte. La figure 2.1 illustre ces aspects.

Allographes
Différentes façons d'écrire une même lettre (par exemple ɑ, A, a et *A*).

Figure 2.1

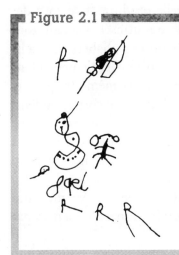

Jean-Sébastien (six ans) commence à utiliser certaines lettres de l'alphabet dans une tâche de production de mots. Toutefois, ces traces témoignent d'une coexistence de représentations figurative et linguistique qui peut signifier que Jean-Sébastien distingue peu l'écriture du dessin ou encore, les distinguant, qu'il cherche à se doter d'aide-mémoire pour se souvenir du sens de sa trace écrite. Cette coexistence peut également s'expliquer si l'enfant est familier avec les albums de littérature de jeunesse où le texte et l'image sont intrinsèquement liés.

Dès l'entrée à la maternelle, la majorité des enfants ont déjà intégré des particularités visuographiques de la langue écrite. Ils sont très nombreux à spontanément aligner leurs productions en colonne, productions qui sont en général linéaires. De même, l'orientation de gauche à droite et du haut vers le bas est le plus souvent respectée (*voir la figure 2.2*). Ils intègrent très rapidement les lettres conventionnelles dans leurs productions et sont peu nombreux à introduire des pseudo-lettres. Celles-ci, dans une large mesure, sont le fruit de la déformation d'une lettre conventionnelle. Les pseudo-lettres que nous avons relevées le plus souvent sont les suivantes : une forme semblable à un « E » avec quatre traits horizontaux ou une sorte de « R » dont la barre oblique est orientée vers la gauche. Comme nous l'avons déjà précisé, l'orientation des lettres, qui est une particularité de la représentation graphique linguistique, est encore peu stable chez certains enfants à la fin de l'année de maternelle. Toutefois, il faut mentionner que la plupart d'entre eux ne produisent qu'une seule lettre en miroir dans l'ensemble de leur production.

Des conventions déjà bien intégrées

Une vaste étude menée auprès de 202 enfants québécois fréquentant la maternelle a permis de dégager leurs acquis à propos des conventions écrites en fin d'année (Morin, Ziarko et Montésinos-Gelet, 2003) :

■ 75 % des enfants adoptent un schéma conventionnel en disposant les mots en colonne ou de façon alignée ;

■ 95 % des sujets alignent systématiquement les mots de gauche à droite ;

■ 65 % procèdent systématiquement du haut vers le bas ;

■ 71,8 % des enfants recourent exclusivement aux lettres de l'alphabet dans tous les mots produits. Très peu (2,5 %) introduisent des chiffres dans leurs productions, tandis que 25,8 % (N = 52) incluent des pseudo-lettres ;

■ concernant l'orientation des lettres produites, plus de la moitié des sujets (59,4 %) les réalisent correctement, tandis que les autres (40,6 %) incluent au moins une lettre produite en miroir.

Si les enfants au début de leur année de maternelle produisent surtout des lettres conventionnelles, le répertoire moyen des lettres utilisées s'accroît tout au long de l'année. Cette intégration des lettres de notre alphabet est la conséquence de leurs préoccupations visuographiques. Il faut également mentionner que toutes les lettres ne sont pas utilisées avec la même fréquence. Nous avons remarqué que les élèves privilégient les lettres qui correspondent, dans une large mesure, aux phonogrammes les plus fréquents en français (Catach, 1995). Ce résultat n'est pas le fruit du hasard. En effet, les jeunes scripteurs subissent l'influence des régularités graphiques du français à cause de l'attention qu'ils portent aux écrits dans leur environnement. Cette influence se ressent également dans le nombre moyen de lettres par mot, qui se situe entre cinq et six, ce qui correspond au nombre moyen de lettres par mot en français (Malrieu et Rastier, 2001).

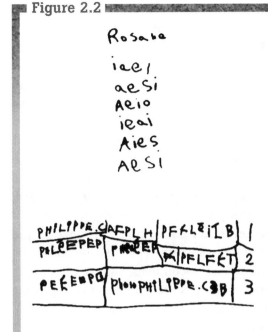

Dans sa production, Rosalie (six ans) témoigne de connaissances visuographiques importantes : le schéma de mise en page est conventionnel (en colonne) ; l'écriture va de gauche à droite, du haut vers le bas ; l'orientation des lettres est correcte ; les caractères sont conventionnels, même si elle ne manifeste pas de préoccupations phonographiques.

Philippe, quant à lui, accorde une grande attention aux aspects visuographiques de sa production. En effet, il délimite chaque mot écrit en l'encadrant et numérote chacune des lignes produites. Même si cette numérotation n'est pas conventionnelle (placée à droite), le schéma de mise en page l'est néanmoins puisqu'il privilégie une disposition linéaire.

Les préoccupations visuographiques se manifestent donc très tôt et elles permettent d'acquérir des savoirs importants sur la façon dont l'écrit prend forme visuellement (la mise en page, les lettres et leur fréquence, l'apparence des mots). Cependant, la construction du savoir sur les représentations graphiques linguistiques se poursuit bien au-delà de la maternelle et pendant de nombreuses années. Par exemple, la lecture des bandes dessinées mobilise des savoirs visuographiques pour interpréter le sens associé à l'usage de certaines formes typographiques comme le fait d'utiliser de très grosses lettres (ce qui signifie généralement un haussement de voix) ou encore des lettres au contour irrégulier (qui introduit l'idée d'une disposition émotionnelle particulière comme la peur). La lecture d'hypertextes exige également de tels savoirs afin d'identifier rapidement les portions de textes qui correspondent à des liens. Toutes les fois où le lecteur fait face à des conventions graphiques qu'il doit interpréter, il mobilise ses savoirs visuographiques.

L'enfant ne se développe pas seul. Certes, il peut remarquer les écrits autour de lui sans y être incité explicitement. Toutefois, les expériences liées à la litéracie[1] qui sont partagées avec les proches ou les enseignants vont largement contribuer à attirer son attention sur les aspects visuographiques de la langue écrite.

Les préoccupations sémiographiques et lexicales

Parallèlement à ses préoccupations visuographiques, l'enfant prend rapidement conscience que l'écrit sert à véhiculer du sens. Comment peut-on

---

1. L'orthographe de ce terme est empruntée à Jaffré (2004).

savoir qu'il prend conscience d'une telle chose? Grâce aux choix qu'il opère lorsqu'il cherche à écrire. Souvent, le très jeune enfant choisit de produire des traces différentes pour des mots différents, et ce, même si son répertoire de lettres est limité, ce qui accroît la difficulté pour produire des combinaisons différentes. Avant de comprendre que c'est essentiellement grâce au principe alphabétique que fonctionne notre système d'écriture, l'enfant cherche à concevoir comment ce sens dépend de la trace écrite, c'est ce qui correspond aux préoccupations sémiographiques. Il arrive parfois que, parmi les hypothèses qu'il pose pour saisir le lien entre le sens et la trace, un enfant cherche à inscrire dans sa production des caractéristiques de ce qu'il veut écrire en adoptant ainsi une logique propre à la représentation figurative. Par exemple, il va produire de petites lettres pour écrire *mouche* parce que l'insecte est petit ou encore de nombreuses lettres pour écrire *rivière* parce que c'est long, une rivière. Parfois, l'enfant qui fait un tel choix est conscient que l'écrit ne fonctionne pas vraiment de cette façon mais, en procédant de la sorte, il cherche à déposer dans sa production des indices qui lui permettront d'en retrouver le sens. Ainsi, il adopte une stratégie de ce genre afin de pouvoir donner du sens à sa production dans l'hypothèse où il la lirait par la suite.

C'est par cette volonté d'associer une trace à un sens que l'enfant va progressivement mémoriser l'écriture de certains mots comme son prénom ou d'autres mots d'usage fréquent (*voir la figure 2.3*). Frith (1985) signale que cette stratégie de mémorisation lexicale débute le plus souvent en lecture et qu'au début, l'enfant est dépendant d'information associée au mot comme la

Figure 2.3

En fin de maternelle, Arianne (six ans) montre qu'elle a bien mémorisé son prénom, sans néanmoins avoir intégré le principe alphabétique qui lui permettrait de traiter les autres mots de manière lisible (correspondances phonèmes/graphèmes). Il faut également souligner qu'Arianne produit les différents mots en ayant le souci de marquer des différences graphiques très manifestes entre ces derniers.

En début de maternelle, Samuel (cinq ans) écrit le mot *cerise* avec six « o » en disant « des lettres comme des cerises ».

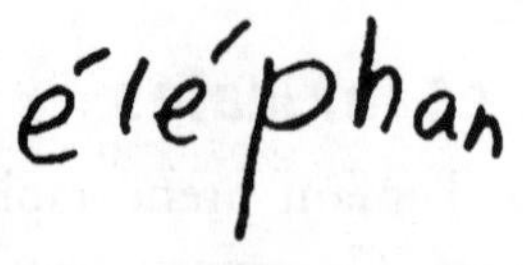

À la fin de la première année, Alice (sept ans) témoigne d'une mémorisation lexicale partielle dans son écriture du mot *éléphant*. En effet, elle produit le phonogramme de faible fréquence « ph » ainsi que le phonogramme « an » alors que la fréquence du « en » est aussi importante en français, sans toutefois introduire le morphogramme lexical « t », ce qui laisse penser qu'elle a rencontré ce mot à l'écrit et qu'elle a cherché à le mémoriser.

couleur de l'écriture ou la forme des caractères imprimés. Ce type de reconnaissance est qualifié de « logographique », puisque l'écrit est traité comme un logo, de manière figurative. Selon Frith, par la suite, l'enfant va prendre d'autres types d'indices liés aux lettres comme la lettre initiale, le nombre de lettres, la silhouette du mot avec ses hampes et ses jambages. Ces prises partielles d'indices, qui lui permettent dans un contexte prévisible de réussir à identifier avec succès certains mots, établissent rapidement des limites lorsqu'il faut reconnaître des mots hors contexte et encore davantage lorsque l'enfant veut les écrire. Seule une mémorisation lexicale complète d'un mot permet à l'enfant qui n'a pas encore intégré le principe alphabétique d'écrire ce mot de manière orthographique. Cet effort de mémorisation lexicale, fruit des préoccupations lexicales de l'enfant, permet la constitution de son lexique orthographique qui ne cessera de s'enrichir tout au long de sa vie.

Bien sûr, les expériences de l'enfant influent sur les préoccupations sémiographiques et leur prolongement à travers le développement du lexique orthographique. Cela signifie que, même sans incitation, l'enfant peut chercher à donner du sens aux écrits qui l'environnent. Cependant, s'il est encouragé à s'y intéresser, il risque d'y consacrer davantage d'effort.

Les préoccupations liées au principe alphabétique

L'orthographe française repose en grande partie sur le principe alphabétique, c'est-à-dire la mise en relation de l'oral et de l'écrit au moyen des lettres de l'alphabet. C'est le plus souvent à la maternelle que le jeune enfant commence à comprendre ce principe. Le principe alphabétique n'est pas un principe unitaire puisqu'il nécessite, de la part de l'apprenti scripteur, la compréhension de nombreux aspects (Montésinos-Gelet, 1999) dont il sera question dans cette partie :

- la mise en relation de l'oral et de l'écrit ;
- l'extraction phonologique (capacité d'isoler les phonèmes) ;
- la combinatoire ;
- l'exhaustivité ;
- la conventionnalité des phonogrammes ;
- la séquentialité ;
- l'exclusivité graphémique.

L'un de ces aspects concerne la mise en relation de la durée de l'oral et l'espace consacré à l'écrit. Il n'est pas encore question ici d'une analyse de l'oral en unités distinctes (les phonèmes). Par conséquent, l'enfant ne comprend pas encore, à proprement parler, le principe alphabétique. Néanmoins, cette mise en relation primitive de l'oral et de l'écrit guide l'enfant vers la compréhension de ce principe. Dans la lecture à voix haute, la mise en relation de la parole et du texte semble souvent amorcer le lien qui existe entre la durée de l'oral et la longueur de la trace écrite. En effet, dans les situations de lecture partagée, l'enfant observe le regard ou éventuellement le doigt (servant de curseur) de l'adulte qui suit la ligne en lui faisant la lecture ; ainsi, il associe les paroles et le texte. Dans ses tentatives d'écriture, cette mise en relation conduit l'enfant à vouloir contrôler la quantité de caractères de ses productions. Ce contrôle de la quantité de caractères peut se manifester de différentes façons. L'enfant peut, en cherchant à se relire, adapter sa production à son oralisation au moyen d'ajouts de caractères ou de ratures. S'il accompagne sa lecture d'un geste du doigt, il peut aussi faire correspondre la durée de la prononciation du mot écrit à la longueur de sa production. Il peut aussi syllaber cette oralisation en segmentant le mouvement de son doigt qui suit sa production. En outre, l'enfant peut contrôler le nombre de caractères durant la production en s'appuyant, par exemple, sur les syllabes. La figure 2.4 présente quelques exemples de niveaux de connaissances phonographiques.

Figure 2.4 Exemples de différents niveaux de connaissances phonographiques

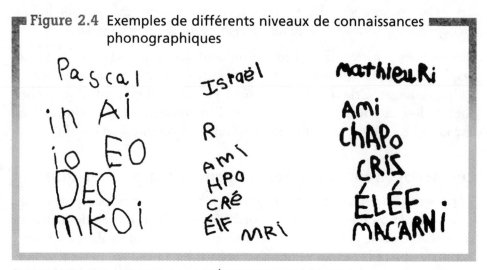

Source: MORIN, M.-F., H. ZIARKO et I. MONTÉSINOS-GELET (2003). « L'état des connaissances de jeunes scripteurs en maternelle », *Psychologie & Éducation*, vol. 3, n° 54, p. 83-100.

Un autre aspect associé au principe alphabétique consiste à extraire les phonèmes (l'extraction phonologique). De précédentes recherches (De Gaulmyn, 1992 ; Montésinos-Gelet, 2001b) ont montré qu'environ la moitié des élèves extraient ponctuellement des phonèmes lorsqu'ils cherchent à écrire des mots au début de la maternelle, alors qu'à la fin de cette année, seule une minorité d'élèves ne font pas encore ce lien (de 10 à 15 %, selon les recherches). Progressivement, l'enfant devient plus conscient des sons de la langue, et ses habiletés à discriminer et à manipuler les phonèmes s'accroissent. Il développe sa conscience phonologique par ses préoccupations relatives au principe alphabétique, et tout particulièrement lorsqu'il porte son attention sur l'extraction phonologique. Pour extraire les phonèmes, l'enfant peut procéder de différentes façons : prendre appui sur la syllabe ; se concentrer sur une portion du mot et extraire sélectivement l'initiale du mot ou sa rime ; extraire certains phonèmes, quelle que soit leur position dans le mot, parce qu'ils lui sont familiers (par exemple, s'ils sont présents dans son prénom). Tous les phonèmes ne sont pas aussi faciles à extraire pour un jeune scripteur. La position du phonème dans le mot, le type de syllabe dans lequel il se trouve et la nature même du phonème sont des aspects qui contribuent à rendre plus ou moins facile l'extraction phonologique. En français, de façon générale, les enfants ont tendance à extraire plus facilement les voyelles, lesquelles deviennent un appui important pour écrire. Ce n'est toutefois pas le cas dans toutes les langues (en anglais, les enfants ont tendance à privilégier les consonnes). Ces choix dépendent grandement des caractéristiques phonologiques de la langue.

Les voyelles plus que les consonnes

En comparant les comportements scripturaux de jeunes francophones du Québec et de la France en fin de maternelle, il se dégage qu'un pourcentage identique de ces enfants (75 %) extraient et retranscrivent davantage les voyelles de la langue française que les consonnes.

Pour approfondir ce sujet, consulter l'article suivant : MORIN, M.-F. et I. MONTÉSINOS-GELET (2005). « Les habiletés phonogrammiques en écriture à la maternelle : Comparaison de deux contextes francophones différents France-Québec », *Revue canadienne de l'éducation*, vol. 3, n° 3, p. 1-23.

Les phonèmes présents dans les syllabes composées de plus d'une seule voyelle, comme la première syllabe du mot *ami*, sont souvent davantage extraits. Au contraire, les phonèmes présents dans une unité branchante (attaque constituée de deux consonnes), comme le « c » ou le « l » du mot *clé*, sont plus difficiles à extraire pour un jeune scripteur. Le type de « o » qu'on trouve dans un mot comme *homme* est souvent difficile non pas à extraire, mais à identifier comme un « o ».

La combinatoire est un autre aspect des préoccupations relatives au principe alphabétique. L'enfant préoccupé par la combinatoire assemble les phonèmes pour produire des syllabes. Il combine soit des phonèmes, soit des unités intrasyllabiques, c'est-à-dire des groupes de phonèmes comme le /tr/ de *train*. Souvent, l'enfant commence à introduire des syllabes combinées dans ses productions par analogie. Voici un exemple : Marie peut se servir de son prénom pour écrire le mot *riz* ou la première syllabe du mot *macaroni*, sans nécessairement être en mesure de combiner d'autres syllabes. La capacité à combiner est dépendante du niveau de conscience phonologique de l'enfant. Certains comportements qu'on observe dans le développement du jeune scripteur font obstacle à la combinatoire, par exemple le recours à des procédures épellatives, décrit initialement par Read (1971) et très explicitement présenté par Jaffré (1992), dans lequel l'enfant utilise le nom des lettres plutôt que leur valeur phonographique pour porter une syllabe (« bb » pour *bébé*) ou une unité intrasyllabique (« mr » pour *mer*).

Un autre aspect des préoccupations relatives au principe alphabétique relève de la nécessaire exhaustivité de la production. En effet, alors qu'au début l'enfant isole un nombre limité de phonèmes dans un mot, il va prendre conscience de la nécessité de considérer l'intégralité des phonèmes du mot pour qu'un lecteur puisse comprendre ce qu'il a voulu écrire. Une production peut être exhaustive sans toutefois être lisible ; c'est le cas lorsque l'enfant transcrit à plusieurs reprises un phonème. D'autres aspects inhérents aux préoccupations relatives au principe alphabétique – comme le fait d'utiliser des phonogrammes inappropriés, de ne pas les transcrire dans le même ordre que la séquence des phonèmes dans le mot ou encore d'ajouter des lettres supplémentaires qui ne sont ni des phonogrammes du mot ni des lettres muettes potentiellement acceptables en français – peuvent également expliquer qu'une production exhaustive n'est pas lisible.

S'il est mis en situation d'essayer d'écrire, l'enfant en vient à éprouver le besoin de mémoriser les correspondances entre les phonèmes et les phonogrammes. La conventionnalité des phonogrammes est un autre aspect des préoccupations relatives au principe alphabétique que l'enfant cherche à approcher. Au début, bien souvent, l'enfant se sert de son prénom ou d'autres mots lexicalisés afin d'identifier des phonogrammes potentiels pour les phonèmes qu'il parvient à isoler. Les principaux motifs qui conduisent l'enfant à introduire des phonogrammes non conventionnels sont liés à la proximité phonologique (par exemple *japo* pour *chapeau*), à la proximité graphique (l'omission de jambages, lettre en miroir, décalage de trait), à l'utilisation d'une procédure épellative, aux inversions dans les phonogrammes composés de deux ou trois lettres (par exemple « na » pour « an ») ou encore à l'écriture de ces derniers à l'aide d'une seule lettre (par exemple *hapo* pour *chapeau*).

Le traitement de l'ordre sériel des caractères est un autre aspect des préoccupations relatives au principe alphabétique. En effet, respecter la séquence des phonèmes dans la transcription des phonogrammes est essentiel à la compréhension. Les désordres liés à la séquentialité des productions sont principalement situés à trois points de vue (Montésinos-Gelet et Besse, 2003) : à l'intérieur de la syllabe (intrasyllabique), entre les différentes syllabes d'un mot (intersyllabique) et entre les caractères à l'intérieur d'un phonogramme de deux ou trois lettres (intraphonogrammique). Les désordres ne sont pas des phénomènes préoccupants, mais des moments de l'évolution normale qui sont présents chez la plupart des enfants à un moment ou à un autre.

Le dernier aspect des préoccupations relatives au principe alphabétique concerne l'exclusivité graphémique. Cela signifie que l'enfant s'approche de l'idée que les lettres présentes dans les mots doivent avoir une fonction et qu'il n'est pas souhaitable, pour être compris, d'ajouter à ses écrits d'autres lettres que des phonogrammes ou encore, si l'enfant a déjà des préoccupations de nature orthographique, d'ajouter des lettres muettes vraisemblables en français. Ces autres lettres peuvent être des lettres postiches ou des lettres jokers. Les lettres postiches sont des lettres qui sont ajoutées à une production dans un souci quantitatif, pour respecter une certaine idée de la silhouette d'un mot qui ressemble à un mot acceptable en français, ou du fait d'un automatisme graphomoteur. Ce genre d'automatisme apparaît lorsque, par exemple, l'enfant introduit dans sa production une lettre de son prénom et, automatiquement, qu'il produit la séquence des autres lettres de son prénom. Les lettres jokers sont des lettres qui servent à prendre la place d'un phonème ou d'une syllabe que l'enfant extrait, mais non clairement identifié, sans pour autant qu'il estime qu'il s'agit d'un phonogramme potentiel. Lorsque, par exemple, Étienne écrit *coq* ainsi : HMH, et qu'il dit, *je sais qu'il y a quelque chose entre les deux* [k], *mais je ne sais pas quoi*, le « M » qu'il a mis

Au début, bien souvent, l'enfant se sert de son prénom ou d'autres mots lexicalisés afin d'identifier des phonogrammes potentiels pour les phonèmes qu'il parvient à isoler.

Lettres postiches
Lettres ajoutées à une production dans un souci quantitatif.

Lettres jokers
Lettres qui prennent la place d'un phonème ou d'une syllabe.

pour porter ce quelque chose correspond à une lettre joker. Lorsqu'ils ne sont pas régulièrement invités à écrire, rares sont les enfants de maternelle qui, à la fin de l'année, sont exclusifs dans leurs productions.

Il est important de prendre en compte qu'un enfant ayant des préoccupations relatives au principe alphabétique n'écrit pas nécessairement de manière lisible. Pour établir le lien entre l'oral et l'écrit, l'enfant peut porter ses efforts uniquement sur certains des aspects mentionnés. Néanmoins, l'enseignement de la lecture et de l'écriture au début du primaire n'aurait certainement pas la même portée si l'enfant n'avait pas, au préalable, approché de lui-même le principe alphabétique et les différents aspects qui y sont associés avant de bénéficier de cet enseignement. Tout comme les autres aspects ou préoccupations, les préoccupations relatives au principe alphabétique se poursuivent, elles aussi, tout au long de la scolarité avec l'intégration progressive du large répertoire de phonogrammes que comporte le français.

Les préoccupations liées à la norme orthographique

Les préoccupations relatives à la norme orthographique portent sur de nombreux aspects : les normes et les particularités des phonogrammes, les morphogrammes lexicaux, les morphogrammes grammaticaux, les logogrammes et les idéogrammes (*voir la figure 2.5*).

Figure 2.5

Les écritures de Vincent témoignent de préoccupations orthographiques. La présence d'un morphogramme lexical à la fin des mots *riz* et *éléphant* indique que ce jeune scripteur est capable de prendre en compte la dimension morphogrammique de l'écriture. L'orthographe normée du mot *éléphant* indique aussi le recours à une procédure lexicale, étant donné la faible fréquence du phonogramme /ph/ pour marquer le phonème, en comparaison avec le phonogramme /f/.

Source : MORIN, M.F. (2004). « Comprendre et prévenir les difficultés en écriture chez le jeune enfant en examinant les orthographes approchées et les commentaires métagraphiques », dans J.-C. Kalubi et G. Debeurme (dir.), *Identités professionnelles et interventions scolaires. Contextes de formation de futurs enseignants,* Sherbrooke, Éditions du CRP, p.145-173.

En ce qui concerne les phonogrammes, lorsque l'enfant prend conscience que certains phonèmes peuvent être transcrits à l'aide de différents phonogrammes (par exemple [s] par « s », « ss », « c », « ç », « t ») et qu'il réalise que le choix de l'un ou l'autre des phonogrammes dépend d'une convention, il commence à manifester des préoccupations relatives à la norme orthographique. Il en est de même lorsqu'il réalise que des règles de positionnement peuvent, dans une certaine mesure, contribuer à choisir ou à exclure certaines possibilités. Par exemple, dans un mot comme *classe,* le phonogramme /s/ peut être exclu compte tenu des voyelles qui encadrent le phonème ou encore dans le mot *sol,* le /c/ est également exclu des possibilités car, devant un /o/, il serait dur.

Les préoccupations relatives à la norme orthographique se manifestent aussi lorsque l'enfant considère les lettres muettes et les marques grammaticales de genre, de nombre ou de conjugaison. C'est souvent à partir d'une analyse de son prénom ou de celui d'un proche que l'enfant prend conscience que certaines lettres en français peuvent être muettes. Il est assez remarquable de constater que la plupart des enfants qui introduisent des lettres muettes dans leurs productions à la maternelle sélectionnent déjà des lettres muettes vraisemblables en français comme celles-ci : « e », « s », « t », « x » ou « d ». Il arrive même qu'ils justifient l'ajout d'une lettre muette : *je mets un « e » à* amie *parce que mon amie, c'est une fille* ; *je pense qu'il faut un « t » à* chat *parce qu'on dit* chatte *ou* chaton *; je mets un « s » à* riz *parce qu'il y a beaucoup de grains de riz.* Ces préoccupations relatives à la norme orthographique ne conduisent pas nécessairement l'enfant à écrire de manière orthographique. Par exemple, un enfant peut écrire le mot *riz* au pluriel ainsi *riri,* en disant qu'il l'écrit plusieurs fois parce qu'il y a plusieurs grains de riz, ce qui est une préoccupation orthographique sans que sa production soit orthographique pour autant. Inversement, un enfant peut écrire de manière orthographique sans avoir de préoccupations orthographiques. C'est le cas lorsque, par exemple, il a mémorisé un mot ou encore lorsque le mot écrit est régulier en ce qui concerne les correspondances phonèmes-phonogrammes.

Lorsque l'enfant prend conscience que de nombreux homophones s'écrivent de manière différente, il témoigne également de ses préoccupations relatives à la norme orthographique. Il en est de même lorsqu'il s'interroge sur la ponctuation, les majuscules, les traits d'union ou encore les apostrophes.

Même si ces préoccupations spécifiquement orthographiques ne concernent encore qu'une minorité d'élèves de la maternelle, elles connaissent un fort essor au début du primaire. Cependant, comme nous l'avons déjà dit, ces préoccupations ne garantissent pas une production orthographique. Il est vraiment dommage qu'elles soient si peu considérées lorsque l'orthographe est évaluée au primaire. Généralement, c'est le respect absolu de la norme qui est apprécié et non le fait de s'en approcher. Prenons, par exemple, différentes graphies du syntagme *les loups* : 1) *les lou,* 2) *les lous* et 3) *les louvs.* Les trois formes seraient probablement considérées comme également erronées lors d'une évaluation. Pourtant, les enfants n'en sont pas au même point dans leur approche de l'orthographe : le premier a compris le principe alphabétique mais, dans cette production, il ne manifeste pas de préoccupations relatives à la norme orthographique ; le deuxième manifeste des préoccupations orthographiques par rapport au marquage grammatical du nombre ; le troisième également mais, de plus, il introduit un morphogramme lexical qui est certes non conventionnel, mais qui indique qu'il a conscience que de telles lettres existent en français. Il serait vraiment important, pour soutenir adéquatement le développement orthographique des élèves au primaire, de prendre conscience qu'il s'agit d'une construction progressive. Plutôt que d'attendre nécessairement le respect de la norme immédiatement et de sanctionner les écarts, il pourrait être judicieux de relever les marqueurs de cette progression.

Points d'observation pour dégager les préoccupations des enfants

Pour approfondir un travail sur l'écriture au préscolaire et au premier cycle du primaire, quelques questions peuvent guider l'observation de scripteurs débutants:

Est-ce que l'enfant tient compte de certaines caractéristiques du référent lorsqu'il écrit? Par exemple, pour écrire le mot *coccinelle,* certains enfants vont justifier le fait d'écrire avec quelques lettres seulement étant donné qu'une coccinelle c'est petit. Ce type de comportement reflète des préoccupations sémiographiques. Dans ce cas de figure, l'enfant n'a pas encore saisi le principe alphabétique de l'écriture en français.

Est-ce que l'enfant distingue l'écriture du dessin? Même si l'écriture et le dessin sont deux modes de représentation graphique, ils ne fonctionnent cependant pas de la même manière: le dessin cherche à représenter les objets, tandis que l'écriture représente la forme sonore d'un mot qui, elle, est associée à un objet.

Est-ce que l'enfant respecte les conventions qui régissent l'écriture du français: écriture de haut en bas, de gauche à droite, recours aux lettres de l'alphabet? La réponse à cette question permet de mieux établir le degré d'intériorisation de conventions qui régissent notre langue écrite. L'apprentissage de ces conventions est souvent le fruit d'apprentissages réalisés dans des contextes informels de lecture-écriture au préscolaire (lecture à voix haute du parent).

Est-ce que l'enfant établit une relation entre les sons de la chaîne sonore et les signes écrits? La réponse à cette question nous permet de savoir si l'enfant a compris le principe alphabétique du français. Cette compréhension est essentielle à la progression des jeunes scripteurs francophones étant donné le principe alphabétique qui guide notre système écrit. L'établissement d'une relation entre l'oral et l'écrit témoigne de préoccupations phonographiques (Besse et l'ACLE, 2000).

Si oui, est-ce que l'enfant le fait de façon systématique pour tous les sons ou isole-t-il seulement quelques phonèmes d'un mot? Si l'identification ne porte pas sur tous les phonèmes, est-ce que l'enfant associe la lettre à un phonème ou à une syllabe? Ces questions nous donnent certains indices concernant les capacités d'analyse de la langue orale – conscience phonologique – que démontre le jeune enfant. Si l'enfant associe une lettre à un segment syllabique, il est fort possible que la syllabe soit le segment le plus petit que l'enfant soit en mesure d'isoler.

Est-ce que le jeune scripteur a le souci d'agencer les signes écrits en tenant compte de leur ordre d'apparition dans la chaîne sonore? La réponse à cette question indique la capacité de l'enfant à tenir compte de la séquentialité de notre écriture. Il est cependant à noter qu'à une certaine période de l'apprentissage de l'écriture, des enfants peuvent témoigner d'une difficulté à ordonner correctement les différents phonogrammes sans pour autant que cette difficulté perdure en première année (Montésinos-Gelet, 1999; Morin, 2002). Les désordres séquentiels ne témoignent pas nécessairement de troubles d'apprentissage importants du langage écrit comme la dysorthographie ou la dyslexie.

Est-ce que l'enfant qui tente de transcrire à l'écrit des sons qu'il isole est préoccupé par la conventionnalité des signes écrits qu'il utilise? Cette question permet de distinguer la capacité de l'enfant à isoler des sons dans la chaîne sonore de celle qui implique la production écrite. Lorsque le jeune enfant fait des tentatives d'écriture,

(suite ▸)

il peut isoler les bons phonèmes mais ne pas choisir les bons phonogrammes (signes écrits pour transcrire les sons). C'est la différence à faire entre saisir le principe alphabétique et connaître les règles de correspondances phonèmes/graphèmes en français.

Est-ce que l'enfant utilise des phonogrammes conventionnels ? Est-ce que l'enfant utilise des phonogrammes orthographiques ? Ces questions permettent de mieux situer la compétence de l'enfant à se référer aux règles de correspondance oral-écrit en français. Par exemple, en français, il est tout à fait conventionnel d'écrire le premier son du mot *photo* avec la lettre « f ». Par ailleurs, le français écrit ne permet généralement pas plusieurs orthographes pour un même mot ; le phonogramme orthographique attendu pour le début du mot *photo* est /ph/.

Est-ce que l'apprenti scripteur tient compte des blancs graphiques ? Habituellement, le jeune scripteur n'introduit pas spontanément des blancs graphiques entre les mots, étant donné la forme continue de la langue orale. La présence de blancs graphiques suggère que le jeune scripteur construit une représentation de l'unité mot à l'écrit qui viendra soutenir ses activités d'écriture et de lecture.

Est-ce que le jeune scripteur s'interroge au sujet de signes écrits autres que phonogrammiques, comme la présence de morphogrammes ? Est-ce qu'il cherche à donner un sens aux signes diacritiques (différents accents) et à la ponctuation ? La réponse à la première question nous permet d'évaluer la représentation que se fait l'enfant du système écrit en français. Comme le mentionne Catach (1995), même si le français est une langue alphabétique qui met l'accent sur la présence de phonogrammes, cette langue est aussi constituée de morphogrammes et de logogrammes qui apportent d'autres types d'informations à celui qui traite l'écrit. La deuxième question nous permet de cerner dans quelle mesure l'enfant est sensible à des éléments graphiques propres au français écrit.

Source : MORIN, M.F. (2004). « Comprendre et prévenir les difficultés en écriture chez le jeune enfant en examinant les orthographes approchées et les commentaires métagraphiques », dans J.-C. Kalubi et G. Debeurme (dir.), *Identités professionnelles et interventions scolaires, Contextes de formation de futurs enseignants,* Sherbrooke, Éditions du CRP, p.145-173.

Les préoccupations liées aux stratégies d'appropriation

Il n'est pas rare que des enfants de maternelle et de première année croient qu'ils vont apprendre à lire et à écrire par magie au cours de la première semaine d'école, voire de la première journée. Or, cette croyance est vite remise en question lorsqu'ils sont mis en situation de résolution de problèmes linguistiques. Ainsi, les enfants prennent conscience qu'apprendre à lire et à écrire, c'est une construction progressive dont ils ont la responsabilité. Il leur reste à comprendre comment procéder pour réussir. C'est ce qui correspond aux préoccupations relatives aux stratégies d'appropriation.

En accord avec la nature alphabétique du français écrit, il est peu surprenant de constater qu'un nombre important d'enfants témoignent rapidement d'une préoccupation à dégager les phonèmes des mots à produire et à identifier les phonogrammes potentiels pour les traduire ; ils utilisent donc une stratégie phonographique. Toutefois, de plus en plus de travaux indiquent que cette stratégie n'est pas la seule à être adoptée ; la stratégie lexicale et la stratégie analogique contribuent aussi au processus d'appropriation de l'écrit. Il faut ajouter que ces trois stratégies (*voir le tableau 2.1*) soutiennent non seulement les activités de production, mais aussi les activités de lecture chez les jeunes enfants.

Tableau 2.1 Certaines stratégies utilisées en lecture et en écriture

Stratégies	Définitions	Illustrations
Phonographique	L'élève établit un lien explicite entre la chaîne orale et les signes écrits lors de situations de lecture ou d'écriture. Il fait donc correspondre les phonèmes entendus et les graphèmes à écrire ou à lire. Cette stratégie nécessite un haut niveau d'effort cognitif, ce qui entraîne une lenteur dans l'exécution des tâches de lecture ou d'écriture.	L'élève a une lecture saccadée où chaque syllabe est décodée une à la fois. En écriture, l'élève écrit les phonèmes qu'il entend, sans avoir un souci orthographique. Par exemple, l'élève écrit _chokola_ et _chaucola_ pour le mot _chocolat_.
Lexicale	L'élève reconnaît un mot qu'il a emmagasiné dans son lexique mental pour l'écrire ou le lire. Par conséquent, plus l'élève aura mémorisé de mots, plus son débit de lecture ou d'écriture sera rapide, étant donné que cette activité est moins coûteuse sur le plan cognitif.	L'élève écrit correctement le mot _train_ et explique sa façon de procéder ainsi : « Je sais comment écrire le mot _train_ parce que je l'ai déjà vu dans un de mes livres d'histoires. »
Analogique	L'élève établit une relation entre un mot qu'il connaît et une partie d'un mot nouveau à écrire ou à lire.	L'élève écrit le phonogramme /ph/ au début du mot _photo_, en s'expliquant ainsi : « Je mets un _p_ et un _h_ au début de _photo_ parce que c'est comme le début du nom de mon ami Philippe. »

Source : PARENT, J. et M.-F. MORIN (2005). « Observer les stratégies de l'apprenti lecteur-scripteur pour mieux l'accompagner », _Québec français,_ n° 138, p. 58-60.

Les chercheurs et les enseignants ont longtemps sous-estimé la stratégie analogique, qui correspond à une utilisation conjointe des stratégies phonographique et lexicale. Or, il est important d'être attentif à cette stratégie parce qu'elle permet aux enfants d'établir des relations entre des mots connus et des mots nouveaux. Cette caractéristique doit être prise en considération. En effet, celle-ci permet de soutenir les efforts d'appropriation des jeunes enfants au regard de l'écrit. L'exemple suivant illustre clairement cette stratégie et le potentiel de cette dernière dans l'exploration de nouveaux mots.

La verbalisation de la stratégie analogique en maternelle : le mot _amoureux_

Dans l'une des classes de notre recherche, un groupe de trois petites filles est en situation d'expliquer comment elles ont écrit le mot _amoureux._

L'une d'elles dit : « Le début, c'est facile, on l'entend bien _a-moureux_, « a » ! Après, c'est « mmm », comme dans mon nom, _Myriam._ » Une autre ajoute : « Comme dans _maman_ aussi. Après, c'est « ou », ça s'écrit « o » et « u », on l'a écrit la semaine dernière quand on cherchait *mouton*. » « Le rrrr, ça ronronne dans la gorge. » « Eu, on savait pas, mais c'est comme dans *jeux*, c'est écrit dans la classe, on a regardé, ça s'écrit "e, u, x". »

Dans ce court exemple, la stratégie analogique est utilisée quatre fois : avec le prénom de l'une d'elles, avec les mots *maman* et *mouton* qui ont été lexicalisés et avec le mot *jeux* qui, bien que non lexicalisé, a été trouvé puisqu'il était écrit sur l'étagère de rangement des jeux de la classe. On constate également que cette stratégie analogique est utilisée conjointement avec la stratégie phonographique (« a » et « r »).

Le développement des habiletés graphomotrices

En plus des préoccupations que nous venons de présenter, l'apprenti scripteur doit également développer ses habiletés graphomotrices. L'acquisition de celles-ci dépend en partie d'un processus de maturation physiologique et des expériences de l'enfant. Par ses gestes graphiques mobilisés dans le dessin, le graphisme et l'écriture manuscrite, il découvre sa dominance motrice. Il apprend progressivement à tenir les instruments qui lui servent à tracer, sans crisper la main, et à contrôler la pression qu'il exerce. De plus, il met au point des gestes graphiques efficaces lui permettant de tracer en montant, en descendant, en tournant dans un sens ou dans l'autre, bref, d'enchaîner tous ces gestes différents.

Parmi les activités graphiques qu'il réalise, l'enfant peut être amené à observer, à analyser et à chercher à reproduire des formes. C'est notamment le cas lorsqu'il cherche à tracer des lettres. Le travail d'observation et d'analyse, associé aux préoccupations visuographiques, est une activité perceptuelle et cognitive indispensable à la reproduction d'une lettre. Dans l'activité de reproduction en tant que telle, l'enfant doit trouver le geste le plus efficace et la posture la plus confortable pour assurer une certaine rapidité du tracé et sa lisibilité. Ce tâtonnement gestuel et postural vers plus d'efficacité graphique est dépendant de la maturation physiologique de l'enfant, qui n'est pas encore achevée à la fin de la maternelle.

> L'enfant doit trouver le geste le plus efficace et la posture la plus confortable pour assurer une certaine rapidité du tracé et sa lisibilité.

Comme pour tout autre apprentissage moteur, l'exercice permet une certaine progression. C'est pourquoi il importe que l'enseignant fournisse un accompagnement. Offrir des occasions pour exercer les gestes graphiques constitue un premier type d'intervention minimal. Intervenir pour aider l'enfant à trouver une posture ergonomique durant les activités graphiques est une autre piste qui, malheureusement, d'après Paoletti (1994, 1999), fait souvent défaut dans les classes, faute d'une formation adéquate des enseignants à ce sujet. De même, le fait d'aider l'enfant à déterminer sa main dominante est une autre forme d'intervention. Celle-ci peut se manifester en incitant l'enfant à prendre conscience des résultats graphiques qu'il obtient lorsqu'il utilise l'une ou l'autre main. Ainsi, l'enfant a la possibilité de structurer plus facilement cette importante composante de son développement moteur. En outre, la tenue des instruments utilisés dans les activités graphiques est un autre aspect qui peut faire l'objet d'interventions, même si ce type d'intervention est controversé. Dans ce sens, en 2002, le *British Journal of Special Education* a adhéré aux points de vue divergents exprimés à ce sujet à l'occasion de la *British Special Education Conference*.

Dans le développement des gestes d'écriture, l'intervention des enseignants conduit immanquablement à considérer le style d'écriture manuscrite qui sera préconisé. Ce point fait l'objet d'une large controverse dans les différents pays dont les langues écrites utilisent l'alphabet latin (Ediger, 2002). Différents choix ont été faits en fonction des lieux. Certaines recherches ont été conduites pour justifier ces choix ou pour argumenter en faveur d'une solution de rechange. Certaines, comme celle de Duval (1985), reposent sur une analyse de la complexité de l'activité perceptuelle et de reproduction des traits constitutifs de différents styles d'écriture manuscrite pour les hiérarchiser et préconiser l'utilisation du style le plus simple comme première forme d'écriture manuscrite. Partant des quatre styles les plus souvent enseignés au États-Unis (*cursive*, *manuscript*, *italic* et D'Nealian[2]), elle en vient à la conclusion que l'italique – qui est une forme d'écriture scripte dont les lettres, bien que déliées, peuvent facilement être reliées et évoluer vers une écriture cursive – est le style le plus simple et que la cursive est le style le plus complexe.

D'autres recherches, comme celle de Graham, Berninger et Weintraub (1998), ont plutôt choisi de considérer la vitesse et la lisibilité de l'écriture des enfants en fonction du style employé. Pour ce faire, ils ont rencontré 600 élèves de la quatrième à la sixième année du primaire. Ils en sont venus à la conclusion que la vitesse d'écriture des enfants qui combinent le script et la cursive est plus rapide que dans le cas des enfants qui utilisent uniquement l'un ou l'autre de ces styles d'écriture. Les enfants qui combinent le script et la cursive le font généralement parce qu'ils ont d'abord adopté comme première écriture manuscrite le script pour ensuite apprendre la cursive, qui est réputée plus rapide, réputation d'ailleurs contredite par cette recherche de Graham et ses collaboratrices.

Cette situation d'enseignement successif de deux styles d'écriture (d'abord l'écriture scripte, ensuite l'écriture cursive) est celle qui semble prévaloir en pratique au Québec, même si le programme ne donne aucune indication à ce sujet. Bien qu'au strict point de vue de l'activité motrice, ce choix semble raisonnable puisqu'il consiste à adopter, dans un premier temps, une écriture réputée plus simple pour ensuite aller vers une écriture considérée comme plus rapide, on peut s'interroger sur la pertinence de soumettre l'enfant à ce double apprentissage. Que l'enfant soit en mesure de reconnaître toutes les formes d'une même lettre de l'alphabet latin est sans doute nécessaire pour qu'il puisse lire sa langue, quel que soit le style d'écriture adopté. Qu'il puisse écrire en ayant recours à des styles d'écriture différents ne constitue pas, par contre, une nécessité pour être compris. Si ce double enseignement des styles d'écriture n'est pas nécessaire, est-il souhaitable ou, au contraire, nuit-il au scripteur ?

---

2. On peut répertorier un très grand nombre de styles d'écriture manuscrite qui se différencient par des nuances dans les traits constitutifs de certaines lettres.

Pour commencer à répondre à une telle question, il convient de considérer la relation entre le geste d'écriture, l'orthographe et la production de texte. Quelques recherches, que nous évoquerons maintenant, donnent un éclairage à cette relation. Il convient tout d'abord de considérer que produire un texte demande la coordination d'un grand nombre d'habiletés cognitives et métacognitives. Compte tenu de cette complexité, on pourrait penser que les habiletés graphomotrices de l'enfant mobilisées dans l'écriture manuscrite sont relativement peu importantes dans le processus d'écriture. Néanmoins, plusieurs chercheurs font valoir des raisons substantielles de croire que cet aspect de bas niveau pourrait être beaucoup plus important qu'il n'y paraît.

Tout d'abord, de nombreux chercheurs (Graham et collab., 1997; Jones et Christensen, 1999; Johnson et Carlisle, 1996) soulignent la nécessité d'automatiser l'écriture des lettres et des mots. Ainsi libérées, les ressources attentionnelles peuvent être consacrées en priorité aux nombreuses tâches cognitives comprises dans la production d'un texte. En effet, comme le font remarquer Graham et Weintraub (1996), si l'écriture de l'enfant est très lente, il ne sera pas en mesure de garder en mémoire toutes ses idées, il va en oublier avant d'être en mesure de les écrire. De la Paz et Graham (1995) ont mis en évidence la concurrence des activités par rapport aux ressources attentionnelles. Ils ont montré qu'écrire sous la dictée de quelqu'un réduit la demande attentionnelle qui pèse sur l'enfant et que cette condition accroît la qualité de l'écriture manuscrite au début du primaire.

Toujours en lien avec cette mise en relief des limites attentionnelles de l'enfant et de la nécessité de l'automatisation des processus de bas niveau afin de libérer suffisamment d'attention pour produire un texte cohérent, riche et structuré, Berninger (1994) a mis en évidence la place des habiletés graphomotrices de l'enfant dans la mémorisation de l'information orthographique et dans son accès. En effet, la stratégie lexicale n'est pas sans lien avec la graphomotricité puisque le lexique orthographique est formé, entre autres, d'une mémorisation graphomotrice des mots. Automatiser l'accès à l'information orthographique mémorisée de manière motrice va permettre à l'enfant de libérer ses ressources attentionnelles. Berninger et Swanson (1994) mettent également en relief cette mise en relation entre les compétences graphomotrices en écriture et la maîtrise orthographique. Ils montrent que l'intégration motrice de l'information orthographique est cruciale dans le développement de la production de texte et que plus les élèves sont jeunes, plus cet aspect est important, même s'il continue à influer sur la qualité des productions des élèves plus âgés.

Enfin, Graham et Weintraub (1996) soulignent qu'une faible aisance dans les gestes d'écriture peut diminuer la motivation à écrire du fait de la frustration causée par des expériences liées à l'écriture. C'est ce phénomène qui conduit également Jones et Christensen (1999) à considérer que l'effet Matthew se retrouve en écriture. C'est Stanovich (1986) qui a initialement décrit cet effet en lecture comme étant un manque d'automatisation des habiletés de décodage et de la répercussion de ce manque sur la motivation de l'élève, le conduisant à vouloir éviter des expériences de lecture pénibles, ce qui accentue encore un peu plus ses difficultés. En écriture, ce serait le manque d'automatisation des gestes d'écriture qui conduirait l'enfant, frustré par ses expériences, à éviter d'écrire, ce qui aurait pour conséquence de ralentir sa progression graphomotrice à cause du manque de pratique.

Comme nous venons de le voir, de nombreuses recherches mettent l'accent sur la nécessité d'automatiser les gestes graphiques et sur les liens entre ceux-ci et la mémorisation de l'orthographe lexicale. À la lumière de ces recherches, reprenons notre question : Est-il souhaitable que les élèves au début du primaire soient soumis successivement à un enseignement de l'écriture scripte et de l'écriture cursive? Ce double enseignement les aide-t-il à automatiser leurs gestes d'écriture ou, au contraire, interfère-t-il avec cette automatisation? Dans l'état actuel des connaissances, aucune recherche ne permet de répondre à cette question. Toutefois, la logique nous ferait plutôt craindre que ce double apprentissage n'accentue la lourdeur de la tâche.

Quelques résultats de recherche en faveur des orthographes approchées

Même si l'International Reading Association (1998) et de nombreux chercheurs (Ehri et Wilce, 1987 ; Huxford, Terrell et Bradley, 1992 ; Read, 1986 ; Richgels, 1987 ; Shanahan, 1980 ; Snow, Burns et Griffin, 1998) encouragent les pratiques d'orthographes approchées en considérant qu'elles sont favorables au développement de l'écrit chez le jeune enfant, peu de recherches ont été réalisées pour appuyer une telle idée. Comme nous l'avons déjà précisé, les recherches dans la tradition de l'*invented spelling* ont surtout été menées dans une perspective développementale plutôt que dans une perspective pédagogique. Cependant, même si elles sont encore peu nombreuses et que ce problème demande encore à être documenté (Rieben, 2003), on en trouve quelques-unes ayant cherché à évaluer l'impact de ce type de pratique sur le développement de l'enfant. En plus de nos propres recherches, dont nous parlerons plus loin, nous avons relevé sept recherches dont l'objectif était de vérifier l'impact de ce type de démarche sur le développement des enfants. Nous les présentons maintenant, de la plus ancienne à la plus récente.

En 1988, **Clarke** a conduit une recherche comparative auprès de quatre classes de première année du primaire. Les pratiques d'orthographes approchées étaient encouragées dans deux des classes, tandis que les deux autres poursuivaient un enseignement plus traditionnel. Les résultats de cette recherche montrent que les élèves qui bénéficient de pratiques d'orthographes approchées progressent davantage, au point de vue de l'orthographe et du décodage, que les autres.

En 1992, **Winsor** et **Pearson** ont réalisé une recherche d'entraînement auprès de 20 élèves de première année considérés comme à risque, c'est-à-dire que ces enfants pouvaient éprouver des difficultés dans l'apprentissage du langage écrit. Cet entraînement consistait à leur faire régulièrement la lecture de textes présentant des histoires prévisibles et de leur offrir de fréquentes occasions d'écriture au moyen des orthographes approchées. Leurs résultats ont montré que de telles pratiques pédagogiques soutenaient l'entrée dans l'écrit en favorisant notamment le développement de la conscience phonologique. Les auteurs ont aussi établi que la mesure d'orthographes approchées a une forte corrélation avec la mesure de lecture, ce qui leur donne des arguments pour soutenir l'intérêt d'y avoir recours en classe.

En 1992, **Gill** a conduit une recherche très semblable à celle de Nicholson auprès d'élèves de deux classes de deuxième année. Les deux enseignants utilisaient le même manuel d'orthographe. Toutefois, ils se différenciaient par le fait que l'un d'eux favorisait dans sa classe les orthographes approchées. Les résultats ne montrent pas de différences significatives en ce qui concerne l'orthographe. Par contre, comme dans la recherche de Nicholson, les élèves de la classe favorisant les orthographes approchées ont produit significativement plus de mots dans leur production écrite.

En 1993, **Gettinger** a mené une recherche auprès de quatre garçons de deuxième année du primaire qui ont participé à un programme d'entraînement de 16 semaines. Ce programme comprenait, en alternance, des pratiques favorisant les orthographes approchées et des pratiques d'étude de listes de mots de vocabulaire. Dans les deux formes de pratiques, les enfants étaient amenés à écrire un court texte en 15 minutes et ce sont ces textes qui ont été étudiés dans la présentation des résultats. Il en ressort que durant les périodes d'enseignement direct des mots de vocabulaire, les enfants écrivent les mots ciblés plus fréquemment de façon orthographique. Cependant, lorsqu'ils écrivent en orthographes approchées, on trouve davantage de mots non ciblés correctement orthographiés. De plus, les enseignants des élèves rencontrés ont évalué que, lorsqu'ils réalisaient des pratiques d'orthographes approchées, les productions des enfants étaient plus riches. En outre, les enfants à qui on a demandé d'évaluer la forme d'enseignement qu'ils préféraient ont nettement penché pour les pratiques d'orthographes approchées.

En 1996, **Nicholson** a mené une recherche auprès d'élèves de deux classes de deuxième année. Travaillant les mêmes mots de vocabulaire, l'un des enseignants favorisait les orthographes approchées, tandis que l'autre poursuivait un enseignement direct. Nicholson voulait vérifier l'impact des deux démarches sur la longueur et le degré d'élaboration des textes. Les attitudes des élèves en production ont aussi été observées. Les résultats ont montré que le nombre de mots des productions des élèves de la classe favorisant les orthographes approchées était en moyenne le double de celui de l'autre classe. L'auteure mentionne également que les enfants étaient plus détendus durant la production de leur texte.

En 2001, **Brasacchio, Kuhn** et **Martin,** toutes les trois enseignantes en première année, ont réalisé une étude dans leur propre classe permettant d'évaluer l'impact de pratiques d'orthographes approchées en écriture chez leurs élèves. Dans chacune des trois classes, les enseignantes ont fait vivre deux leçons à leurs élèves. La première avait pour but d'encourager les enfants à utiliser les orthographes approchées, et l'autre privilégiait une approche plus traditionnelle. Au cours de ces deux leçons, les enseignantes ont observé leurs élèves alors qu'ils travaillaient, elles ont écouté leurs verbalisations et leur ont posé des questions sur leurs stratégies en écriture. Au regard de ces observations et de l'étude des productions écrites réalisées, il ressort que le fait d'encourager les enfants à utiliser les orthographes approchées n'a pas eu d'effet sur la bonne orthographe des mots. En contrepartie, avec cette approche, les élèves s'exprimaient plus facilement et on a trouvé davantage de mots dans leurs productions écrites.

En 2005, **Rieben, Ntamakiliro, Gonthier** et **Fayol** ont conduit une recherche dans le but d'examiner l'effet de différentes pratiques d'éveil à l'orthographe sur la lecture et l'orthographe auprès de 145 élèves de maternelle. Trois approches ont été comparées : la première favorisait la copie de mots, la deuxième favorisait les orthographes approchées sans qu'il y ait de rétroaction sur la norme orthographique et enfin, la troisième favorisait les orthographes approchées tout en offrant une rétroaction sur l'orthographe convention-nelle. Dans un quatrième groupe, qui constituait le groupe témoin, les enfants dessinaient. Les résultats montrent que les enfants bénéficiant de pratiques d'orthographes approchées avec rétroaction sur la norme ortho-graphique ont obtenu des scores significativement supérieurs à ceux des autres élèves en orthographe et en lecture.

Cette dernière recherche est particulièrement intéressante puisqu'elle intro-duit une différence entre les pratiques d'orthographes approchées selon qu'elles comprennent ou non une rétroaction sur l'orthographe convention-nelle. Les autres recherches ne sont pas très explicites sur ce point. Peut-être est-ce pour cette raison que certaines d'entre elles ne relèvent pas d'effet des pratiques d'orthographes approchées sur la qualité orthographique des textes des enfants. Quoi qu'il en soit, dans la démarche que nous préconisons aujourd'hui, les rétroactions sur la norme orthographique font partie des pratiques d'orthographes approchées.

Nos propres recherches sur l'entraînement aux orthographes approchées

Nous allons maintenant présenter trois recherches portant sur l'entraîne-ment aux orthographes approchées. Ces recherches ont été réalisées afin d'évaluer l'impact de pratiques d'orthographes approchées sur le dévelop-pement orthographique des enfants.

La **première recherche** a été conduite en France (Montésinos-Gelet, 2001a) auprès de 35 enfants de maternelle. Il s'agissait d'examiner l'influence des interactions sociales entre enfants sur l'appropriation de l'écrit. Nous avons élaboré une situation de production d'orthographes approchées en collabo-ration mettant en relation un trio d'enfants. Nous avons comparé les niveaux d'extraction phonologique des enfants avant et après l'intervention en distin-guant un groupe expérimental qui bénéficiait de la situation en trio et un groupe témoin n'en bénéficiant pas. Après l'intervention, la moyenne du groupe expérimental s'est avérée significativement supérieure à celle du groupe témoin, alors qu'elles étaient similaires avant l'intervention. Ces résultats viennent confir-mer que le travail coopératif permet un changement des conduites de traite-ment de l'écrit dans le sens d'une meilleure lisibilité.

La **deuxième recherche** (Montésinos-Gelet et Morin, 2005 ; Morin et Montésinos-Gelet, 2003), très similaire à la première, a été conduite au Québec auprès de 20 enfants de maternelle répartis en deux groupes dont l'un bénéficiait d'une situation de production d'orthographes approchées en trio, et l'autre pas. Nous avons comparé le niveau d'extraction phonologique de tous les enfants avant et après l'intervention, et les 12 élèves ayant participé à un trio ont préalablement fait une tentative d'écriture individuelle sur les mots ensuite travaillés en trio. Nos résultats confirment l'impact des interactions entre enfants sur le développement orthographique. Les productions sont systématiquement plus proches de la norme lorsqu'elles sont le fruit du travail d'un trio d'élèves que lorsqu'un élève cherche à écrire seul. De plus, après l'intervention, la moyenne des scores des élèves qui ont bénéficié du travail en trio était supérieure à celle des élèves du groupe témoin, alors qu'elle était équivalente avant l'intervention.

Ces deux recherches font ressortir la pertinence de mettre les enfants en situation de discuter et d'argumenter, c'est-à-dire d'être réflexif à propos de la langue. Par contre, aucune rétroaction sur la norme orthographique n'a été fournie aux élèves, Or, avec la recherche de Rieben et ses collaborateurs (2005), nous avons vu que cet aspect est important. De plus, le nombre des élèves rencontrés dans le cadre de ces recherches est peu important, et le contexte de ces interventions n'était pas celui d'une classe. C'est pourquoi nous avons souhaité mettre sur pied une recherche beaucoup plus vaste, qui correspond à l'ensemble des aspects mentionnés dans notre définition des orthographes approchées, et ce, dans le milieu naturel d'une classe.

La **troisième recherche** comporte deux volets : un volet « enseignant[3] » et un volet « élève[4] ». Les sections suivantes présentent les détails de la méthodologie et des résultats de cette recherche.

Le volet « enseignant »

La recherche collaborative consiste à faire de la recherche avec des enseignants ou encore, comme le disent si bien Desgagné et ses collaborateurs (2001), « à l'enseignant considéré comme un objet d'évaluation sur la pratique de qui on pose un regard distant et évaluatif, on oppose ici un enseignant considéré comme un partenaire de l'investigation avec qui on

---

3. Ce volet a été réalisé grâce au soutien financier du MEQ et de la Montérégie.

   PROULX, P. et collab. (2002). *Jeter les bases de la scolarisation au plan social et cognitif,* Montérégie, Éducation préscolaire, Comité Jeter les bases de la scolarisation, Projet de recherche-action. (Cinq enseignantes ont été libérées de leur tâche pour se consacrer à ce projet.)

   PROULX, P. et collab. (2002). *Recherche collaborative sur le thème de l'éveil à l'écrit au préscolaire à travers des situations de production coopérative d'orthographes approchées,* MEQ.

4. Ce volet a été réalisé grâce au soutien financier du FCAR.

   MONTÉSINOS-GELET, I. et M.F MORIN (2001-2004). *Impact d'une situation de production collaborative d'orthographes inventées sur la construction de la dimension phonogrammique chez des enfants de maternelle,* Subvention FCAR nouveau chercheur.

pose un regard complice et réflexif sur la pratique». Au cœur de notre conception de la recherche collaborative, il y a une activité réflexive dans laquelle praticiens et chercheurs interagissent et explorent ensemble un aspect de la pratique. Ce regard sur la pratique consiste, dans le présent projet, à s'interroger sur l'influence des interactions sociales entre pairs au sujet de l'appropriation de l'écrit chez des enfants de maternelle. Il s'agit de présenter et d'analyser des situations liées à la pratique et aux modes de fonctionnement des élèves afin de favoriser un retour réflexif sur cette pratique. Cette activité réflexive s'effectue à travers des rencontres régulières entre chercheurs et praticiens où se «coconstruit» un certain savoir sur la pratique qui est le métissage de «savoirs d'action» et de «savoirs savants». Cette activité permet de remplir deux fonctions à la fois: c'est une occasion de formation continue pour les enseignants et c'est un soutien de recherche. Au total, huit enseignantes de trois commissions scolaires de la Montérégie[5] ont collaboré à cette recherche. De plus, trois conseillères pédagogiques à l'éducation préscolaire ont assuré le suivi du projet. Au cours de journées de rencontre[6] mensuelle, nous avons problématisé et partagé des pratiques afin d'élaborer des situations novatrices de production d'orthographes approchées en collaboration qui mettaient en relation des trios d'enfants. Cinq enseignantes, engagées dans une démarche d'appropriation des orthographes approchées, ont expérimenté ces situations de production coopérative d'orthographes approchées dans leur classe. D'autre part, les classes de trois enseignantes de maternelle ont servi de groupes témoins, et les enseignantes se sont jointes à l'équipe de recherche durant les deux dernières rencontres du projet. L'ensemble des situations que les enseignantes ont proposées a été consigné hebdomadairement dans un journal de bord[7], et les traces de ces nombreuses pratiques ont été conservées. Il faut souligner que ces pratiques innovantes sont le fruit d'un impressionnant travail de réflexion de la part des enseignantes et d'un solide étayage de la part des conseillères pédagogiques et des chercheuses. Un accompagnement est indispensable pour favoriser et soutenir ces pratiques qui viennent modifier en profondeur les représentations des praticiens sur le développement des compétences en français écrit.

Les encadrés de la page suivante présentent le point de vue d'une enseignante et d'une conseillère pédagogique qui ont participé à ce projet.

---

5. Les enseignantes proviennent des commissions scolaires et des écoles suivantes:
   – Commission scolaire des Grandes-Seigneuries (école des Moussaillons, école Vinet-Souligny, école Piché-Dufrost);
   – Commission scolaire des Patriotes (école des Marguerites);
   – Commission scolaire des Trois-Lacs (école Saint-Michel).

6. Avant le début de la recherche, nous nous sommes rencontrées pendant plus d'un an au rythme d'une rencontre par mois. Les rencontres se sont poursuivies durant la recherche et l'année suivante.

7. Cette tâche a été confiée à Annie Charron; les données recueillies servent à sa recherche doctorale.

Le point de vue d'une conseillère pédagogique

L'arrimage entre les orthographes approchées et le programme de formation

Avec l'arrivée du Programme de formation de l'école québécoise (MEQ, 2001), le programme préscolaire définit un troisième mandat « jeter les bases de la scolarisation au plan social et cognitif ». Comment doit-on comprendre ce troisième mandat et y répondre ? Comment respecter les fondements socioconstructivistes à la base ce programme par compétence ? Comment peut-on développer la 4e compétence du programme à l'éducation préscolaire « communiquer » ? Les orthographes approchées ont permis d'ouvrir une nouvelle voie pour travailler cette compétence dans le respect du programme et du rythme de l'enfant. Cette démarche me semble correspondre à ce que l'on nomme émergence de l'écrit puisque la conception de l'écrit de l'enfant évolue au fil de ses expériences.

J'ai pu, à quelques reprises durant le projet des orthographes approchées, aller travailler conjointement avec une enseignante. J'ai alors pu observer les enfants en action et constater leur motivation à apprendre. L'enfant essaie de s'approprier l'écrit et l'adulte tente de comprendre comment il fait et l'accompagne dans sa démarche en questionnant ses représentations. De plus, l'approche col-laborative des trios d'enfants préconisée par cette recherche permet des échanges entre les enfants qui influencent ou questionnent les représentations personnelles de chaque enfant.

Cette nouvelle avenue de recherche me semble très prometteuse pour l'éducation préscolaire puisqu'elle respecte les fondements du programme. Elle s'inscrit dans une démarche globale visant l'émergence de l'écrit par des pratiques diversifiées. De plus, les attitudes et les pratiques ainsi développées par les enseignantes pourront ensuite être transférées à d'autres champs disciplinaires.

Un autre élément intéressant de cette recherche, c'est l'isomorphisme que l'on peut constater entre l'approche collaborative instaurée entre les chercheuses et les membres du groupe de recherche d'une part et celle que les enseignantes ont établie entre elles et le groupe d'enfants dans la classe, d'autre part. Tout en respectant le rythme de chaque enseignante, les chercheuses ont favorisé le développement de leurs compétences à intervenir avec le groupe d'enfants ainsi que la construction de leurs connaissances. Les conceptions des enseignantes ont ainsi évolué au fil de leurs expérimentations tout au cours de l'année.

Pauline Proulx, conseillère pédagogique
Commission scolaire des Trois-Lacs

Le point de vue d'une enseignante

Évoluer comme professionnelle des apprentissages des enfants

Je suis enseignante depuis 1990 au préscolaire, à l'école St-Michel. La priorité de donner le goût de lire et d'écrire au préscolaire était déjà très présente avant ma participation à ce groupe de recherche. L'arrivée de la maternelle à temps plein m'a donné l'occasion de lire à mes élèves un livre à tous les jours. Je me suis beaucoup cherchée : un temps j'ai fait le « Chemin des lettres » et les lettres vedettes de façon systématique. Je n'ai cependant jamais imposé l'écriture dans les « trottoirs ». Je ne savais pas exploiter les situations de la vie quotidienne en émergence de l'écrit. Je soutenais les enfants là où ils en étaient rendus, tout en retenant, peut-être inconsciemment, certains enfants plus avancés sur le plan de la lecture. J'étais plus centrée sur les contenus que sur les individus.

Mon association au *Groupe de recherche-action L'écrit à petits pas,* qui réalise la recherche sur l'impact des orthographes approchées, m'a permis de dépasser ma perception plus ou moins floue de la place à accorder et de la façon de travailler et ma compréhension de la compé-tence 4 s'est précisée. Je suis devenue plus sûre de moi, j'ai constaté les bienfaits d'un climat d'ouverture face aux erreurs des enfants dans leurs tentatives d'écrit. Ma façon de percevoir leurs productions s'est modifiée, j'y percevais les « bons coups » plutôt que les erreurs. Lentement, dans ma classe, une culture littéraire commune s'est installée et j'ai accordé un souci plus grand à la différenciation pédagogique. J'ai vu que les enfants comprenaient mieux l'utilité de l'écrit dans la vie courante, y référaient plus spontanément pour répondre à leurs propres besoins et transféraient le tout dans leurs jeux de rôles. Le climat de tolérance, d'espace pour formuler des hypothèses, le regard positif porté sur les essais des enfants s'est même transféré à tout mon enseignement.

Je suis aussi devenue plus souple, moins tendue, plus à l'écoute des besoins et des intérêts des enfants, plus en mesure d'exploiter les situations riches de la vie quotidienne. J'ai intégré à l'horaire de nouvelles activités en orthographes approchées et en émergence de l'écrit, sans zèle, en conservant le même temps alloué pour les ateliers au choix que les enfants aiment tant et qui répondent à leur besoin de jouer. J'ai davantage enrichi le coin des jeux de rôles de matériel lié à l'écrit.

(suite ▸)

Les changements ne se sont cependant pas faits sans heurts, voici deux difficultés que j'ai éprouvées et les solutions adoptées pour chacune d'elles :

Difficultés	Solutions
Pression, incompréhension et questionnement de la part de certains parents	Parler davantage de l'écrit dans les mémos de la classe et lors des rencontres de parents
Questionnement et incompréhension de la part de certaines collègues de maternelle et de 1re année	Afficher des productions dans les couloirs de l'école ; suggérer des lectures aux collègues ; inviter les enseignants à assister à une activité en classe de maternelle ; faire connaître les résultats de la recherche (formation lors de journées pédagogiques ou de colloques professionnels)

En résumé, ma participation à ce groupe de recherche et l'introduction des orthographes approchées à mes pratiques m'ont permis :

■ un nouveau rapport à l'élève et à ses apprentissages :

– garder en tête que l'enfant chemine dans un monde où l'écrit est plus ou moins présent depuis sa naissance, qu'il faut qu'il y ait continuité de ce qui a été amorcé et stimulation pour les enfants issus de familles où le fossé entre l'école et la maison est large ;

– permettre et susciter les échanges et les confrontations entre les enfants (travail en duo et en trio) ;

– préciser ce qui appartient au préscolaire vs à la 1re année (ex. : encourager le goût d'écrire plutôt que

la calligraphie parfaite, ou encore l'écriture dans les « trottoirs » ;

– ne pas restreindre l'espace pour écrire (trottoirs, rectangles, lignes, etc.) car petit à petit l'enfant s'organise sur sa feuille et écrit de façon linéaire, avec de plus petits caractères ;

– ne pas se fixer ou dépendre d'un matériel, souvent conçu pour la rééducation (ex. : ABC BOUM) ;

■ une évolution professionnelle :

– situer ma position quant à l'émergence de l'écrit, à la compétence 4 du programme d'éducation préscolaire et aux orthographes approchées ;

– croire en ce que je fais et avoir les arguments pour m'expliquer, appuyer mes choix, entre autres en référant à des auteurs ;

– considérer mon rôle afin de mieux soutenir et d'aider les parents au regard des apprentissages de leur enfant ;

– considérer le questionnement pendant ou après les productions des enfants au cœur de ma pratique ;

– amener un changement dans ma pratique, en rendant plus centrale la présence, l'exploitation et la richesse de la littérature jeunesse dans ma classe ;

– adopter une approche collaborative de l'écrit en encourageant les enfants à travailler en duo ou en trio ;

– accorder de la place pour valoriser les productions faites en classe, à la maison ou au service de garde, productions dans lesquelles l'écrit est présent ;

– travailler de façon informelle, non linéaire, en exploitant la richesse des situations qui se présentent au quotidien ;

– étendre le concept d'hypothèse en l'appliquant aussi aux orthographes approchées.

Josée Laflamme, enseignante au préscolaire
École St-Michel, Commission scolaire des Trois-Lacs

Le volet « élève »

Pour le volet « élève », nous avions un échantillon de 126 enfants (58 filles, 68 garçons) âgés en moyenne de 66,3 mois au début du projet (octobre 2002) et ayant le français comme langue maternelle. Ces enfants provenaient majoritairement d'un milieu socio-économique moyen.

Nous présenterons tout d'abord les résultats relatifs à l'épreuve de dictée de mots et ensuite ceux qui concernent les épreuves de conscience phonologique, de litéracie et de lecture.

La dictée de mots

En maternelle, une même dictée de six mots (riz, ami, chapeau, cerise, éléphant, macaroni) a été donnée aux mois d'octobre et de mai ainsi qu'une dictée de mots (chapeau, cerise, avion) au mois de février. Les enfants ont également été suivis en première année afin de vérifier si l'impact de l'approche était durable. Les mots étaient plus nombreux et plus complexes (riz, poteau, éléphant, hache, trottoir, macaroni, pain, oignon, épouvantail, cerise, monsieur). Les enseignants de première année ne réalisaient pas de pratiques d'orthographes approchées. La consigne de l'épreuve d'orthographes approchées était « d'essayer d'écrire avec ses idées ». La production a été recueillie sur une feuille blanche placée sur une tablette graphique reliée à un ordinateur portable, ce qui permettait d'enregistrer les gestes graphiques de l'enfant et ses temps de production. Les entretiens étaient aussi filmés ; les films ont été retranscrits, et les commentaires des enfants ont été analysés.

Nous allons présenter les résultats en commençant par mettre en relief l'effet des pratiques d'orthographes approchées (OA) sur les préoccupations relatives au principe alphabétique (*voir le tableau 2.2 et la figure 2.6*). Dans un deuxième temps, nous regarderons ce qu'il en est des préoccupations relatives à la norme orthographique. Dans un troisième temps, nous considérerons les préoccupations visuographiques et le développement des gestes graphiques.

L'effet sur les préoccupations liées au principe alphabétique

- L'extraction phonologique

  Tout au long de l'année de maternelle, les enfants des deux groupes progressent dans leurs habiletés à extraire les phonèmes. Toutefois, cette progression est nettement plus accentuée chez les élèves du groupe OA. L'écart entre les deux groupes est significatif en février et en mai durant l'année de maternelle et le demeure même à la fin de la première année.

Tableau 2.2 Proportion des phonèmes isolés, selon les groupes

Groupe	Maternelle – octobre	Maternelle – février	Maternelle – mai	Première année – mai
Groupe OA	9 %	45 %	56 %	95 %
Groupe témoin	9 %	20 %	28 %	77 %

Quel que soit le phonème, la figure 2.6 indique que les élèves du groupe OA sont plus nombreux à extraire les phonèmes. On voit également que la position du phonème dans un mot est déterminante quant au fait qu'il soit extrait. Prenons, par exemple, le phonème [a]. Lorsqu'il est isolé, à l'initiale du mot, comme dans le mot *ami*, 89 % des élèves du groupe ayant bénéficié de pratiques d'orthographes approchées extraient le phonème. Lorsque le phonème se trouve, combiné à une consonne, dans la première syllabe du mot (par exemple, dans *chapeau* ou au début de *macaroni*), 59 % de ces mêmes élèves sont capables de l'extraire. Dans une syllabe médiane, comme le « ca » de *macaroni*, seulement 28 % de ces

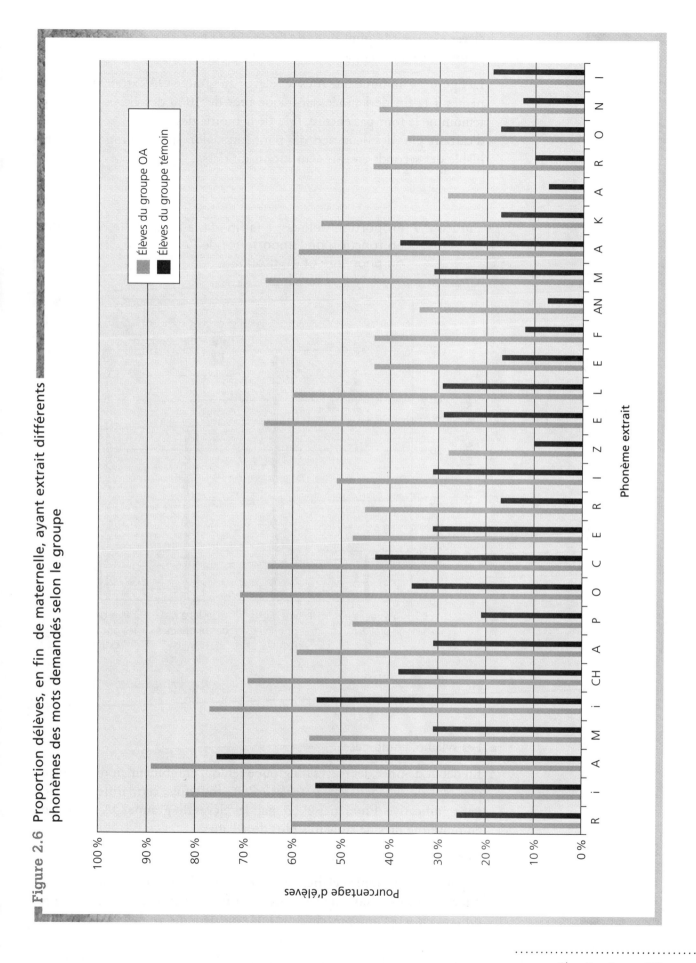

Figure 2.6 Proportion d'élèves, en fin de maternelle, ayant extrait différents phonèmes des mots demandés selon le groupe

élèves extraient le phonème. En fonction de la position, ces variations se retrouvent également chez les élèves du groupe témoin.

La figure 2.7 indique que tous les élèves du groupe OA extraient des phonèmes à la fin de l'année, alors que près de 10 % des élèves du groupe témoin ne le font pas encore. Près de la moitié des premiers sont capables d'extraire plus des deux tiers des phonèmes, alors qu'une proportion semblable des seconds en extraient moins du tiers.

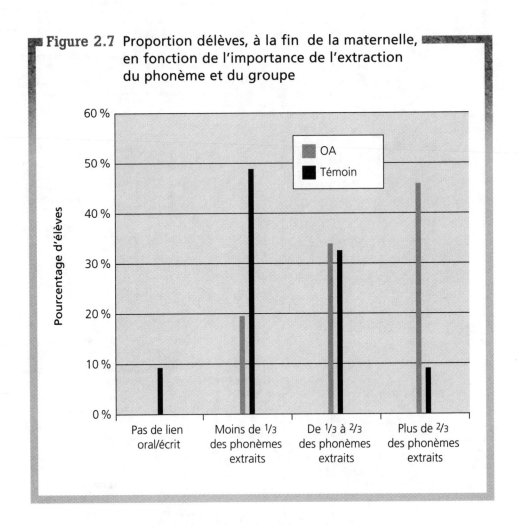

Figure 2.7 Proportion d'élèves, à la fin de la maternelle, en fonction de l'importance de l'extraction du phonème et du groupe

■ Les syllabes combinées

En début d'année, les élèves du groupe témoin combinent en moyenne un peu plus de syllabes (*voir le tableau 2.3*). Toutefois, cette différence n'est pas significative. En février et en mai, les élèves du groupe OA combinent en moyenne près de trois fois plus de syllabes.

■ L'exclusivité des graphèmes

Le tableau 2.4 montre clairement que les élèves du groupe OA sont nettement plus exclusifs que les autres à la fin de l'année. En effet, ils produisent en moyenne près de trois fois plus de mots de manière exclusive.

Tableau 2.3 Proportion de syllabes combinées lors de la dictée de mots en fonction des groupes, en maternelle

Groupe	Octobre	Février	Mai
Groupe OA	2 %	29 %	40 %
Groupe témoin	4 %	10 %	14 %

Tableau 2.4 Proportion de mots produits en introduisant exclusivement des graphèmes, en maternelle

Groupe	Octobre	Février	Mai
Groupe OA	8 %	36 %	41 %
Groupe témoin	6 %	9 %	14 %

■ Les phonogrammes

Les élèves du groupe OA utilisent un plus large répertoire de phonogrammes en fin de maternelle que ceux du groupe témoin. Par exemple, pour le [o] de chapeau, on trouve différents phonogrammes chez ces élèves (/o/, /au/, /eau/), alors que seul le /o/ est utilisé chez les élèves du groupe témoin ; pour les [e] d'éléphant, on trouve encore différents phonogrammes chez ces élèves (/é/, /e/, /er/, /ez/, /ai/), alors que seuls le /é/ ou le /e/ sont utilisés chez les élèves du groupe témoin.

Une autre différence majeure, en fin de maternelle, concerne les diagrammes : 45 % des élèves du groupe OA en introduisent, alors que c'est le cas de seulement 7 % des élèves du groupe témoin.

Digrammes
Phonogrammes formés de deux caractères, par exemple « an », « au », « in », « ph », « eu », etc.

L'effet sur les préoccupations liées à la norme orthographique

Au total, 38 % des élèves du groupe OA manifestent des préoccupations relatives à la norme orthographique à la fin de la maternelle, comparativement à 7 % des élèves du groupe témoin. Ces préoccupations s'expriment essentiellement au moyen de l'introduction de lettres muettes.

Comme on peut le voir au tableau 2.5, non seulement les élèves du groupe OA sont plus nombreux à introduire des lettres muettes, mais ils usent d'un répertoire plus large et produisent davantage de ces lettres que ceux du

Tableau 2.5 Nombre d'occurrences des lettres muettes en fonction de leur nature et du groupe, à la fin de la maternelle

Groupe	e	s	es	t	z	Total
Groupe OA	24	8	3	6	2	43
Groupe témoin	2	0	0	0	0	2

groupe témoin. Les lettres muettes produites sont toutes vraisemblables en français. L'omniprésence des /e/ muets se comprend dans la mesure où leur fréquence est élevée en français. Les commentaires métagraphiques indiquent que les enfants utilisent les /s/ consciemment comme marque du pluriel. Ils sont aussi quelques-uns (cinq élèves du groupe OA et un élève du groupe témoin) à marquer le pluriel sur le mot *riz* par la répétition des phonogrammes.

Le tableau 2.6 montre qu'au total, plus de 46 % des élèves du groupe OA produisent au moins un mot de manière orthographique par opposition à seulement 14 % des élèves du groupe témoin. Les mots *ami* et *macaroni*, qui sont les plus souvent écrits de manière orthographique (voire les seuls mots qui sont écrits orthographiquement par les élèves du groupe témoin), sont des mots qu'on peut facilement orthographier au moyen d'une simple conversion des phonèmes en phonogrammes, compte tenu de leur régularité. Ainsi, un enfant peut les écrire de manière orthographique sans nécessairement avoir des préoccupations relatives à la norme orthographique (par exemple, le mot *ami*). Par contre, les mots *riz, chapeau, cerise* et *éléphant* demandent une mémorisation lexicale pour être produits orthographiquement. Au total, 7 % des élèves pratiquant les orthographes approchées ont lexicalisé l'un ou l'autre de ces mots, ce que nul élève du groupe témoin n'a fait. Le mot *éléphant* n'a pas été produit de manière orthographique. Par contre, par rapport à ce mot, on observe chez 11 % des élèves du groupe OA des amorces de lexicalisation grâce à l'intégration du phonogramme de faible fréquence /ph/ ou de la lettre muette /t/.

Tableau 2.6 Proportion de productions orthographiques en fonction des différents mots et du groupe, à la fin de la maternelle et à la fin de la première année

Groupe	riz	ami	chapeau	cerise	éléphant	macaroni
Groupe OA	2,4 %	42,9 %	2,4 %	4,8 %	0,0 %	11,9 %
Groupe témoin	0,0 %	14,3 %	0,0 %	0,0 %	0,0 %	2,4 %

L'effet sur les préoccupations visuographiques et les gestes d'écriture

■ Le répertoire de lettres

Nous avons calculé le nombre de lettres dont chaque enfant s'est servi dans toutes ses productions durant les séances d'octobre et de mai. Nous avons considéré qu'une lettre faisait partie du répertoire de lettres d'un enfant à partir du moment où il la produisait une fois ou plus. L'écart entre les deux groupes est minime et non significatif au mois d'octobre. En effet, les enfants du groupe OA ont un répertoire de 8,4 lettres en moyenne, et les enfants du groupe témoin, un répertoire de 9,3 lettres en moyenne au début de la maternelle. Par contre, l'écart est significativement plus important au mois de mai. Le groupe OA augmente son répertoire à 14,9 lettres en moyenne, alors que le groupe témoin n'accroît son répertoire qu'à 12,9 lettres. Le groupe OA augmente donc son répertoire de lettres de 44 % en moyenne, alors que le groupe témoin élargit son répertoire de 30 %. Nous avons constaté que les lettres les plus fréquemment utilisées, quel que soit le groupe, correspondent aux lettres les plus fréquentes en français.

■ La taille des caractères

Les élèves du groupe OA ont considérablement réduit la taille moyenne de leurs lettres entre le début et la fin de l'année, passant d'une taille moyenne correspondant à une police de 40 à 31 points. Les élèves du groupe témoin utilisaient en moyenne des lettres de 36 points au début de l'année et de 32 points à la fin. Ainsi, les élèves des deux groupes ont réduit la taille de leurs productions – la réduction de la taille des caractères est généralement perçue comme un signe de progression dans la motricité fine des élèves –, mais cette réduction est nettement plus importante chez les élèves du groupe OA. La figure 2.8 présente un exemple de réduction de taille des caractères.

■ Les allographes

Pour ce qui est du style d'écriture (*voir le tableau 2.7 à la page suivante*) au mois d'octobre, les enfants des deux groupes utilisaient en majorité un mélange d'allographes scripts et capitales dans leurs productions. Par contre, les élèves du groupe témoin étaient plus nombreux à utiliser exclusivement

Figure 2.8 Exemple de réduction de la taille des caractères dans l'écriture du prénom

Louis, au début de l'année de maternelle, taille réelle de la production

Louis, à la fin de l'année de maternelle, taille réelle de la production

Tableau 2.7 Proportion d'élèves en fonction du style d'écriture utilisé en maternelle (octobre, mai) selon le groupe

Groupe	Capitale	Mélange dans le même mot	Script
Groupe OA – octobre	13 %	83 %	4 %
Groupe OA – mai	1 %	59 %	40 %
Groupe témoin – octobre	18 %	68 %	13 %
Groupe témoin – mai	2 %	78 %	20 %

un allographe : 18 % d'entre eux utilisaient uniquement des lettres capitales, 13 % écrivaient exclusivement en script. Au mois de mai, la situation a considérablement changé : 40 % des enfants du groupe OA utilisent les lettres en script par rapport à la moitié moins pour les élèves du groupe témoin. De plus, les enfants du groupe OA sont de moins en moins nombreux à mélanger les allographes, alors qu'ils sont plus nombreux à le faire dans le groupe témoin. La figure 2.9 présente l'exemple de Laura, au mois de mai.

Figure 2.9

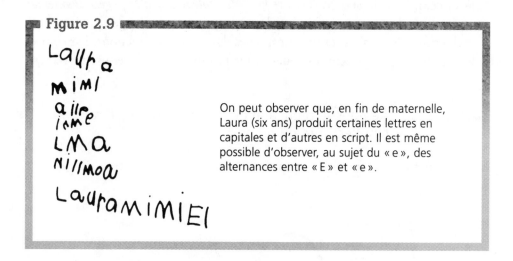

On peut observer que, en fin de maternelle, Laura (six ans) produit certaines lettres en capitales et d'autres en script. Il est même possible d'observer, au sujet du « e », des alternances entre « E » et « e ».

■ La vitesse d'écriture du prénom et des mots

Le tableau 2.8 montre que les enfants du groupe OA, qui étaient moins rapides durant la production de leur prénom en début d'année, ont très largement augmenté leur vitesse, ils l'ont plus que doublée. Les élèves du groupe témoin ont également progressé, mais dans une moindre mesure. La vitesse de production des mots est semblable dans les deux groupes en début d'année. Les élèves du groupe OA progressent de manière un peu plus prononcée quant à leur rapidité d'écriture que ceux du groupe témoin. Le temps moyen de production pour les mots est plus lent que celui qui est nécessaire à la production du prénom. Cette différence peut s'expliquer par le fait que la production plus fréquente du prénom permet à l'enfant de tendre vers l'automatisation des gestes moteurs. De plus, il maîtrise davantage la nature des caractères à inscrire et, de ce fait, il ne perd pas de temps à chercher la lettre qu'il doit produire.

Tableau 2.8 Moyenne du temps d'écriture (en millisecondes) par lettre pour le prénom et les mots dictés en fonction du groupe

Groupe	Prénom	Mots
Groupe OA – octobre	6098	7882
Groupe OA – mai	2738	5947
Groupe témoin – octobre	4399	7479
Groupe témoin – mai	3065	6601

■ La grammaire de trait

Dans les deux groupes, le degré de respect de l'ordre et du sens des traits dans la production des lettres est similaire en début de maternelle. Plus de la moitié des lettres sont produites sans respecter la grammaire de trait (55 % du groupe OA ; 57 % du groupe témoin). À la fin de l'année, seulement 32 % des lettres sont encore tracées sans respecter les normes d'exécution graphique dans le groupe OA et 38 % dans le groupe témoin. La différence entre les deux groupes est significative en mai. De plus, ces résultats doivent être mis en relation avec ceux qui concernent le répertoire de lettres des élèves. En effet, les élèves du groupe OA utilisent un répertoire de lettres plus large que ceux du groupe témoin à la fin de l'année. Or, puisque les élèves tentent d'écrire davantage de caractères, il est compréhensible qu'ils produisent les lettres les moins familières sans respecter la grammaire de trait.

Ainsi, qu'il s'agisse du principe alphabétique, de la norme orthographique ou des aspects visuographiques et moteurs, nos résultats montrent que les pratiques d'orthographes approchées sont bénéfiques aux élèves de maternelle en écriture.

Grammaire de trait
Fait référence à la capacité de l'enfant à respecter les normes qui régissent le tracé des lettres.

La conscience phonologique

Une épreuve informatisée de conscience phonologique[8] a été proposée aux élèves dans le but de mesurer leur capacité à manipuler les syllabes, les rimes et les phonèmes. Il s'agit d'une épreuve individuelle dans laquelle l'enfant voit apparaître, sur l'écran de l'ordinateur, une série de trois images qui sont individuellement encadrées d'une couleur différente (rouge, jaune, bleu). Ces couleurs correspondent à trois touches de même couleur sur le clavier. Sous ces images, une image cible apparaît, et une consigne variant en fonction des six tâches proposées est énoncée. Par exemple, « trouve le mot parmi les trois qui commence comme celui d'en bas. Pour donner ta réponse, tu appuies sur la touche de la même couleur que le cadre de l'image ».

Nous avons isolé du groupe témoin une des trois classes, car le programme Méninge (Sarrazin, 1992), visant à favoriser le développement de la conscience phonologique, y était utilisé.

---

8. Françoise Armand et Isabelle Montésinos-Gelet ont conçu cette épreuve, et Michel Bastien l'a techniquement mise au point.

Le tableau 2.9 indique que le score moyen en conscience phonologique des élèves du groupe OA est comparable à celui de la classe dans laquelle un programe d'entaînement est utilisé (ici, Méninge), et il est significativement supérieur à celui des deux autres classes du groupe témoin.

Tableau 2.9 Score moyen de conscience phonologique à la fin de la maternelle en fonction des groupes

Groupe	Score moyen (sur 24)
Groupe OA	13,6
Groupe témoin	12,5
Groupe «Méninge»	13,8

La litéracie

Cette épreuve informatisée[9] intitulée *La litéracie* permet d'évaluer les enfants à propos de leurs connaissances des phonogrammes (les unigrammes ou les digrammes), des lettres (les voyelles ou les consonnes), leur capacité à identifier des mots, à déchiffrer des syllabes et à faire le rapprochement entre différents allographes (la majuscule, le script) d'une même lettre. Sur le plan technique, cette épreuve ressemble fortement à l'épreuve de conscience phonologique. Tout comme cette dernière, l'écran présente une série d'images encadrées de couleurs différentes mais, cette fois, il y a quatre images.

Nos résultats, que nous avons détaillés dans le tableau 2.10, montrent que les performances des élèves du groupe OA sont significativement supérieures à celles des élèves du groupe témoin, quelles que soient les tâches réalisées.

Tableau 2.10 Score moyen en litéracie et dans les différentes sous-épreuves à la fin de la maternelle en fonction des groupes

Groupe	Score moyen	Unigrammes	Digrammes	Voyelles	Consonnes	Mots	Syllabes	Allographes
OA	18,17	2,74	2,38	3,43	3,07	2,21	2,45	2,03
Témoin	15,17	2,46	1,46	3,17	2,8	1,73	1,88	1,75

La lecture déchiffrement

L'épreuve de lecture déchiffrement, qui fait partie de la batterie de tests du K-ABC (Kaufman et Kaufman, 1995), consiste à demander à l'enfant de lire à voix haute des lettres et des mots (28 éléments, soit 10 lettres et 18 mots). Les résultats de cette épreuve permettent de définir une note standardisée selon l'âge de l'enfant quant à ses habiletés en lecture de mots. À la fin de l'année de maternelle, nos résultats indiquent une nette supériorité en lecture des élèves du groupe OA (dont la note standardisée est de 97) comparativement à ceux du groupe témoin (avec une note standardisée de 83).

---

9. Françoise Armand et Isabelle Montésinos-Gelet ont conçu cette épreuve, et Michel Bastien l'a techniquement mise au point.

Chapitre 3

La mise en œuvre des pratiques d'orthographes approchées en classe

D ans ce chapitre, nous allons décrire les phases de la démarche des orthographes approchées[1]. Celle-ci a été conçue à partir de l'analyse d'un corpus de pratiques d'orthographes approchées que des enseignantes de maternelle ont adopté. La démarche se divise en six phases qui tiennent compte des différents temps de l'apprentissage, soit la mise en contexte (avant), la réalisation (pendant), l'intégration (après) et le transfert des apprentissages.

La mise en contexte

Phase 1 : Le contexte d'écriture et le choix du mot-phrase

La première phase de la démarche correspond à la contextualisation de la situation d'écriture, qui conduit notamment à la sélection du mot ou de la phrase à écrire en orthographes approchées. Compte tenu de l'importance d'offrir une amorce qui pique la curiosité des enfants et qui favorise leur engagement dans la tâche, cette phase est essentielle.

Le contexte d'écriture peut se présenter sous différentes formes. À titre d'illustrations, nous présentons quelques mises en situation que les enseignantes de notre recherche ont fréquemment utilisées. L'enseignant peut amorcer sa situation d'écriture en orthographes approchées à partir de la lecture d'un album de littérature jeunesse. Il demande aux enfants de tenter d'écrire le titre du livre ou un mot important, par exemple le nom du personnage principal. L'occasion d'une pratique d'orthographes approchées peut être offerte

---

1. Cette catégorisation en phases est le fruit du travail de la thèse de doctorat (en cours) d'Annie Charron. Celle-ci a analysé environ 80 pratiques déclarées d'orthographes approchées afin d'en dégager une démarche générale.

lors du message du matin où certains mots manquants deviennent des mots mystères qu'il faut tenter d'écrire. Le mot du jour, où quotidiennement les enfants s'interrogent sur l'orthographe d'un mot, est une autre mise en situation simple et rapide. Peu importe le contexte choisi, il est important que celui-ci motive les enfants à vouloir écrire. De plus, le fait de varier les contextes permet de soutenir l'intérêt des enfants à tenter d'écrire des mots en orthographes approchées.

La sélection du mot ou de la phrase découle généralement du contexte d'écriture. Bien que l'enseignant puisse choisir préalablement le mot, il arrive aussi que les enfants proposent des mots. Lorsque l'enseignant choisit ce que les enfants tenteront d'écrire, il peut prendre soin de choisir des mots avec des particularités orthographiques précises, par exemple des digrammes, des trigrammes ou des lettres muettes. Au primaire, ce choix peut permettre ensuite l'enseignement explicite d'une particularité orthographique. Il est conseillé que parfois l'enseignant choisisse le mot ou la phrase à écrire, parfois que ce choix revienne à un élève.

Phase 2 : Les consignes de départ

La deuxième phase concerne les consignes de départ à mettre en place avant d'amorcer la réalisation des orthographes approchées. Elle comprend le projet d'écriture, le regroupement et les tâches de chacun. Ainsi, l'enseignant informe les enfants de la situation d'écriture en définissant le regroupement privilégié durant la situation d'apprentissage et les tâches qu'ils doivent se partager.

En présentant les consignes du projet d'écriture, l'enseignant s'assure que tous les enfants comprennent en quoi consiste l'activité d'orthographes approchées. L'enfant doit essayer d'écrire un mot ou une phrase avec ses idées et ce qu'il connaît du système alphabétique. De plus, il doit verbaliser ses propositions d'écriture et les stratégies qu'il utilise pour y parvenir. Plus précisément, l'enseignant doit prendre soin d'expliquer que la démarche réflexive se rapportant aux idées et aux stratégies employées est primordiale et que le résultat final de la production écrite n'est pas le seul élément important dans cette pratique. En outre, l'enseignant doit dédramatiser l'erreur. Ainsi, il explique qu'il ne s'attend pas à ce que les enfants écrivent de façon orthographique le mot ou la phrase à écrire, mais bien qu'ils tentent de s'approcher de la norme, d'où le terme « orthographes approchées ».

Dans les consignes de départ, l'enseignant annonce la façon dont la situation d'écriture se déroulera. Les élèves peuvent travailler individuellement, former de petits groupes (duo ou trio) ou travailler collectivement. Ces trois formes sont encouragées, car elles offrent différents avantages qu'il importe de considérer. D'un côté, la formation collective, qui est le regroupement à favoriser durant les premières réalisations de pratiques d'orthographes approchées, offre l'avantage d'exploiter l'apprentissage grâce au modelage. Par exemple, l'enseignant peut jouer le rôle de modélisateur en explicitant à haute voix les questions qu'il se pose, les stratégies qu'il utilise, les doutes qu'il a. Il peut aussi inviter un ou des enfants à venir jouer ce rôle à sa place.

> Peu importe le contexte choisi, il est important que celui-ci motive les enfants à vouloir écrire.

D'un autre côté, le travail individuel consiste à demander au jeune enfant, seul, d'essayer d'écrire un mot ou une phrase. Cette façon de procéder permet à l'enfant de vivre des conflits cognitifs ; ainsi, l'enseignant peut observer individuellement chacun des enfants et déterminer sa ou ses préoccupations en tant qu'apprenti scripteur. Le travail d'écriture individuel est parfois vu comme une étape préalable à un travail en petits groupes ou de manière collective. Enfin, la formation en duo ou en trio favorise les échanges d'idées et de stratégies d'écriture, les conflits sociocognitifs et, comme nous l'avons montré dans les recherches 1 et 2 présentées aux pages 33 et 34, ce travail collaboratif est extrêmement profitable aux élèves. Toutefois, il est conseillé de ne pas utiliser ce regroupement à l'occasion des premières pratiques d'orthographes approchées. En effet, ce genre de regroupement requiert une gestion particulière, et les élèves doivent avoir réalisé des pratiques collectives de modelage pour mieux comprendre la tâche donnée lorsqu'ils travaillent en petits groupes.

Enfin, avant de commencer la réalisation des pratiques d'orthographes approchées, la distribution des tâches entre les membres d'une même équipe (duo ou trio) est essentielle au bon déroulement de la situation d'écriture. Les tâches à répartir entre les élèves d'une même équipe peuvent être celles de scripteur, de responsable de l'alphabet aide-mémoire (en maternelle et au début du premier cycle), de responsable de la gomme à effacer, de gardien du temps, de médiateur, de porte-parole ou d'enquêteur. Parmi les tâches mentionnées précédemment, l'enseignant en propose trois précisément (par exemple celles de scripteur, de porte-parole et d'enquêteur).

Le scripteur est celui qui a pour rôle d'écrire la tentative d'écriture commune de l'équipe ; le responsable de l'alphabet aide-mémoire s'occupe d'apporter la feuille présentant les lettres de l'alphabet (en majuscules et en minuscules) ; le responsable de la gomme à effacer est celui qui efface lorsque le scripteur fait une erreur ; le gardien du temps s'assure que la tâche d'écriture respecte le temps alloué par l'enseignant ; le médiateur est l'élève qui donne le droit de parole aux membres de l'équipe et qui gère les conflits pouvant survenir au sein d'une même équipe ; le porte-parole est celui qui est amené à présenter la proposition d'écriture de son équipe à l'ensemble de la classe ; et, enfin, l'enquêteur est l'élève qui a la responsabilité de trouver la norme orthographique du mot qu'ils devaient écrire. Il est important de retenir que les tâches permettent une meilleure organisation du travail d'équipe et que les enfants se sentent plus engagés dans la situation d'écriture.

La réalisation

Phase 3 : Les tentatives d'écriture et l'échange de stratégies

La troisième phase correspond à la situation d'écriture en tant que telle. Au cours de la réalisation de la production écrite, l'enseignant amène les jeunes scripteurs qui cherchent l'orthographe d'un mot ou d'une phrase à s'interroger, à douter et, lorsque la situation est collective ou en petits groupes, à partager leurs idées à propos de leurs connaissances du système alphabétique ou des stratégies d'écriture utilisées.

Que cette phase d'écriture se déroule de façon collective, individuelle ou en petits groupes, l'enseignant y joue un rôle de guide et non pas de détenteur exclusif du savoir. À titre d'accompagnateur, il questionne les enfants sur leurs choix orthographiques (*Qu'est-ce qui te fait penser que ce mot s'écrit ainsi?*) et sur leurs stratégies d'écriture (*Explique-moi comment tu as procédé pour écrire ce mot*) afin de les encourager à verbaliser leur démarche et à accroître leur réflexion sur la langue écrite.

Afin de rendre les pratiques d'orthographes approchées optimales, il est fortement conseillé de débuter avec des tentatives d'écriture collective où l'enseignant recueille les propositions des enfants et les inscrit au tableau. Lorsque les apprentis scripteurs comprennent bien le déroulement de l'activité, les tentatives d'écriture en petits groupes peuvent commencer. La figure 3.1 propose un exemple d'écriture collective.

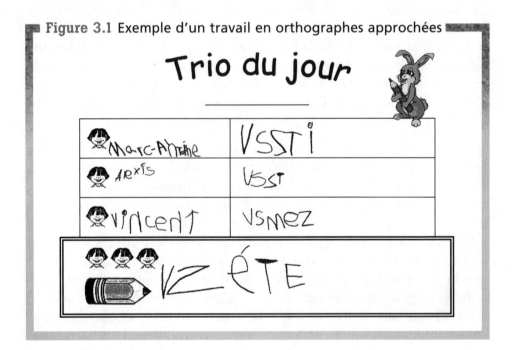

Figure 3.1 Exemple d'un travail en orthographes approchées

L'intégration

Phase 4 : Le retour collectif sur le mot ou la phrase

La quatrième phase correspond au retour collectif sur le mot ou la phrase. Lorsque la situation d'écriture est réalisée de manière collective, l'enseignant ne fait pas nécessairement un retour détaillé, puisqu'il a déjà interagi au fur et à mesure avec ses élèves. Dans ce cas, le moment de retour correspond davantage à une synthèse des idées et des stratégies échangées durant la phase des tentatives d'écriture. Toutefois, si la situation s'est déroulée en petits groupes, l'enseignant amène les enfants à présenter à l'ensemble de la classe leur hypothèse d'écriture. À tour de rôle, les équipes expliquent leurs choix orthographiques et leurs stratégies d'écriture. Lorsque cette présentation est terminée, l'enseignant amène les enfants à observer les différences et les ressemblances entre les hypothèses d'écriture des équipes.

Face aux propositions des élèves, l'enseignant dégage ce qui est construit et le valorise. Chez les plus jeunes, ce peut être simplement l'utilisation de lettres conventionnelles ou la présence d'un phonogramme. Chez les plus grands, il est bon de valoriser l'expression de préoccupations orthographiques (même si la production ne l'est pas). Dans tous les cas, il est pertinent de mettre en valeur les stratégies efficaces (phonologiques, lexicales ou analogiques) que les élèves ont utilisées.

Cette étape permet de rassembler les idées et les stratégies de tous et donne l'occasion aux élèves de découvrir et d'apprendre de nouvelles connaissances se rapportant à l'orthographe. Le retour collectif peut être réalisé immédiatement après la phase des tentatives d'écriture ou il peut avoir lieu à un autre moment dans la journée ou le lendemain. Il est conseillé de ne pas attendre trop longtemps avant d'effectuer le retour afin que les enfants se souviennent de leurs idées et de leurs stratégies et que cette phase demeure signifiante pour eux.

Phase 5 : La norme orthographique

La cinquième phase concerne la norme orthographique du mot ou de la phrase à écrire. Dans le but de vérifier si les apprentis scripteurs se sont « approchés » de l'orthographe du mot et de valider leurs propositions d'écriture, l'enseignant les invite à trouver la norme orthographique des mots. Pour y arriver, différentes stratégies sont possibles. La demande à un adulte ou à un élève plus vieux, la recherche dans un dictionnaire illustré ou d'autres livres et l'utilisation des affiches dans la classe sont des moyens de trouver la bonne orthographe des mots. L'enseignant peut également fournir lui-même la réponse.

Afin de rendre les enfants actifs et de les motiver dans cette quête de la norme, l'enseignant leur propose de devenir des enquêteurs et de partir à la recherche des mots. Tous les enfants peuvent devenir des enquêteurs, ou un enfant par équipe (duo ou trio) peut jouer le rôle d'enquêteur dans son équipe (*voir la phase 2 concernant les tâches de chacun des membres de l'équipe*).

Lorsque les enfants ont trouvé la norme orthographique des mots, l'enseignant poursuit, en quelque sorte, le retour collectif. Les enquêteurs lui fournissent la bonne orthographe qu'il écrit au tableau à côté des propositions d'écriture notées au tableau durant la phase précédente. Avant d'effectuer un retour sur la norme, l'enseignant demande aux enfants d'expliquer comment ils ont procédé pour trouver l'orthographe du mot, quelles stratégies ils ont employées. Ce partage permet de présenter différentes stratégies de révision.

Ensuite, l'enseignant amène les enfants à observer leurs propositions et le mot normé. Ensemble, ils trouvent les ressemblances, s'interrogent sur l'écriture du mot, les particularités de la langue (par exemple les digrammes, les trigrammes et les mutogrammes). Durant cette phase, l'enseignant tente de faire ressortir ce qui est construit chez ses élèves et non ce qui leur manque pour atteindre la norme.

Enfin, cette phase peut se dérouler immédiatement après le retour collectif ou avoir lieu à un autre moment durant la journée ou le lendemain. Tout comme pour la phase précédente, il est suggéré de ne pas attendre trop longtemps avant d'effectuer le retour. Ainsi, la phase demeure significative pour les enfants.

Le transfert des apprentissages

Phase 6 : La conservation des traces et la réutilisation des mots

La dernière phase, qui se rapporte au transfert des apprentissages, a une double visée. Dans un premier temps, l'enseignant conserve les traces écrites de l'activité d'orthographes approchées. Plus précisément, dans un carnet de bord, l'enseignant demande aux enfants d'y répertorier les mots qui ont été travaillés. Par exemple, après que trois enfants ont écrit leur hypothèse d'écriture au tableau, l'enseignant leur demande d'illustrer le mot dans le carnet de bord, de transcrire leur proposition initiale et, enfin, d'écrire le mot normé. De cette façon, les enfants ont en main une forme de dictionnaire collectif qu'ils peuvent feuilleter ou utiliser pour copier certains mots. De plus, il est possible de conserver les traces écrites dans un portfolio. Celui-ci permet à l'enseignant de classer les écrits individuels de chaque enfant et d'observer sa progression durant l'année scolaire.

Dans un deuxième temps, il est intéressant d'offrir des contextes qui permettent de réutiliser les mots écrits en orthographes approchées afin que les enfants puissent consolider leurs connaissances orthographiques. En supposant que le mot à écrire est *chat*, l'enseignant peut demander aux enfants d'écrire ce même mot à l'occasion d'un message le matin ou il peut leur suggérer d'écrire un mot dérivé, par exemple *chaton* ou *chatte*. Ainsi, il peut observer si les enfants font des analogies entre différents mots et s'ils sont capables de réinvestir des connaissances apprises durant ces pratiques d'orthographes approchées.

Des pistes didactiques

Dans cette partie seront présentées des pistes didactiques qui peuvent être le point de départ de séquences que l'enseignant pourra établir. Ces pistes ont été choisies pour que l'enseignant puisse s'approprier cette approche et l'adapter à son style pédagogique et à sa créativité. Après quelques considérations générales, les différentes pistes proposées seront regroupées autour des préoccupations diverses qui mobilisent les élèves dans leur appropriation de la langue écrite.

Quelques considérations générales

■ La fréquence des pratiques

L'utilisation en contexte de classe des orthographes approchées est une réalité relativement nouvelle. De ce fait, il est important de considérer que les enseignants qui commencent à les mettre en œuvre sont en situation d'adopter une démarche à partir de leur manière personnelle d'enseigner. Ainsi, le rythme et la fréquence avec lesquels ils vont s'investir dans cette innovation pédagogique peuvent varier d'un enseignant à l'autre. Or, il est essentiel de respecter ce rythme propre à chaque enseignant.

Toutefois, à partir de nos résultats de recherche, nous pouvons affirmer que la fréquence des pratiques a une répercussion directe sur l'appropriation des élèves. Plus ces derniers ont l'occasion de réfléchir sur la langue écrite à l'aide des orthographes approchées, plus ils seront à même de développer leur compétence de scripteur.

■ L'évolution des pratiques durant l'année scolaire

Concrètement, l'expérience des enseignants ayant déjà intégré les orthographes approchées à leurs pratiques régulières nous indique que la façon de procéder varie entre le début et la fin de l'année. En début d'année, il est particulièrement indiqué de modéliser l'approche en réalisant des pratiques collectives qui permettent à l'enseignant de s'assurer que les élèves comprennent ce qu'on attend d'eux. Cette modélisation a aussi l'avantage de prendre le pouls du niveau des élèves afin de s'y adapter. Plus les enfants ont l'habitude des orthographes approchées, gagnant ainsi de l'autonomie, plus il devient pertinent de les faire travailler en petits groupes ou individuellement.

L'évolution des pratiques doit aussi être envisagée afin d'éviter une trop grande répétition qui peut être la source d'une certaine démotivation chez les élèves et même chez l'enseignant. Par conséquent, il est pertinent que les activités présentées aux élèves contiennent une part de surprise et de nouveauté. Parfois, cette nouveauté peut être introduite très simplement en modifiant l'outil scripteur (par exemple, écrire avec les doigts ou un pinceau) ou le support (par exemple, écrire dans le sable, projeter le message du matin au mur). Cet effet de surprise est souvent le point de départ de nouvelles découvertes pour les élèves.

Des pistes pour aborder les préoccupations visuographiques

Au préscolaire et au début du premier cycle

■ La détermination de l'orientation de l'écriture

À partir d'un message écrit au tableau, l'enseignant peut attirer l'attention des élèves sur l'orientation de l'écriture. Il demande à l'un des élèves de venir montrer aux autres dans quel sens il faut lire et écrire. Cette situation peut donner l'occasion de préciser que les conventions relatives à l'orientation de l'écriture varient en fonction des langues écrites (par exemple, l'arabe).

- La discrimination entre l'écriture en français et d'autres formes graphiques

Ferreiro (1988) a conçu une épreuve afin d'évaluer la capacité des élèves à discriminer l'écriture des autres formes graphiques. Elle leur a demandé de classer de petits cartons sur lesquels il y avait des mots, des phrases, des chiffres, des notes de musique, des pictogrammes, des dessins, de l'écriture provenant d'autres systèmes (chinois, arabe, sanscrit) en deux ensembles. Le premier correspondait à ce qui était écrit en espagnol (en contexte francophone, on considérerait ce qui est écrit en français) et un autre à ce qui ne l'était pas. L'enseignant aurait avantage à reproduire une telle activité en classe, de manière collective ou en sous-groupes, en demandant aux élèves de justifier leurs choix.

- La reconnaissance des lettres et des allographes

La « lettre vedette » peut être une activité judicieuse pour attirer l'attention des enfants sur les lettres, leurs allographes et la grammaire de trait. Pour commencer, l'enseignant demande aux élèves s'ils savent comment s'écrit une lettre en particulier, par exemple le « a », et invite un enfant à écrire son hypothèse au tableau. Ensuite, il demande s'ils connaissent une autre façon d'écrire cette lettre et, si c'est le cas, les incite à venir écrire les autres formes potentielles pour tracer la lettre. L'enseignant peut compléter les différentes propositions des élèves et présenter la totalité des allographes de la lettre. Pour aborder également le tracé de la lettre et de ses différents allographes, il est possible d'inviter un enfant dont le prénom contient la lettre à venir l'écrire au tableau en lui demandant de montrer aux autres de quelle façon il trace cette lettre. Si l'enfant respecte la grammaire de trait, c'est-à-dire l'ordre et l'orientation conventionnels des traits dans son tracé de la lettre, l'enseignant valorise sa maîtrise. Si ce n'est pas le cas, l'enseignant modélise le tracé de la lettre en attirant l'attention des enfants sur l'ordre et l'orientation des traits. Dans les deux cas, le moment est opportun pour expliquer qu'il est préférable de respecter la grammaire de trait. Ainsi, plus ils vont s'exercer et écrire, plus la tâche sera facile. Le tracé proposé étant celui qui est le plus efficace et rapide pour écrire cette lettre, ils éprouveront donc moins de fatigue physique associée aux gestes d'écriture. Enfin, l'enseignant peut proposer aux enfants de trouver toutes les occurrences de la lettre vedette dans un court texte (un message écrit au tableau ou un extrait d'un livre jeunesse) en prenant soin de proposer un texte où différents allographes de la lettre sont présents.

Au primaire

- La mise en page dans la correspondance

Un événement particulier (la Saint-Valentin, la fête des Mères ou des Pères, une invitation) peut donner l'occasion de proposer aux élèves d'écrire une lettre. À la suite de cette production, à partir du livre *Le gentil facteur* (Ahlberg et Ahlberg, 1987) ou *Félix fait le tour du monde* (Langen et Droop, 2001), l'enseignant demande aux élèves d'observer les différentes lettres et leur mise en page. Il peut ensuite discuter des conventions de mise en page les plus usuelles. L'enseignant peut faire les remarques suivantes : les feuilles sont le plus souvent utilisées avec une orientation « portrait » plutôt que « paysage » ; les documents ont des marges ; l'interligne et la taille du texte sont des aspects qui facilitent ou non la lecture ; un retrait ou une lettrine se trouve au début du paragraphe ; dans les textes, les titres et les sous-titres sont repérables à l'aide de certains changements de style ; certaines formes d'écrit comme la lettre ou la page titre d'un livre sont reconnaissables, même de loin, à cause de leur mise en page particulière. L'enseignant demande ensuite aux élèves d'appliquer leurs découvertes portant sur la mise en page dans la version finale de leur lettre.

■ L'écriture et son expressivité visuographique dans la bande dessinée

La bande dessinée est souvent d'une grande richesse pour travailler les aspects visuographiques avec les élèves du primaire. Plusieurs auteurs considèrent que le texte participe à l'aspect graphique de la case et de la planche ; ils parviennent à ajouter de l'information à celle qui est présente dans le dessin, et ce, au moyen de la forme, de la taille et de la position du texte dans la bulle. Par exemple, l'augmentation de la taille des lettres suggère la modulation d'un cri ; les lettres tremblent sous la colère ou la peur ; elles se disloquent sous l'effet de la timidité ; elles fleurissent pour dire des mots d'amour. Certains auteurs comme Eisner ou Franquin exploitent abondamment les possibilités expressives du lettrage ; c'est également le cas dans les mangas.

■ Les calligrammes

Le poète Guillaume Apollinaire (1880-1918) a composé plusieurs calligrammes qui sont restés célèbres comme « La colombe poignardée et le jet d'eau » (voir la page suivante). Le calligramme est une transgression des conventions de mise en page où l'écriture est un moyen de tracer un dessin. Cette transgression permet de mettre en relief, par leur absence, les caractéristiques habituelles de mise en page des textes. Travailler les calligrammes avec les élèves permet de les mettre en situation d'écrire de courts textes poétiques. Avant de leur demander de composer un court texte, la lecture de poèmes pourrait les familiariser à la structure d'un poème (Megrier, 1999) et l'observation d'un calligramme avec les possibilités de cette forme d'expression. Pour l'objet du poème, une unité thématique peut être proposée aux élèves, de préférence liée à un thème abordé en classe (par exemple, les saisons, les rêves, l'eau). Il faut veiller à ce que les élèves déterminent une forme simple pour la silhouette du calligramme et à leur faire prendre conscience de la nécessité d'adapter la longueur du poème à la forme envisagée. Cette activité se prête bien à un travail en petits sous-groupes de deux à quatre élèves. Le premier jet du poème de chaque groupe peut faire l'objet d'une révision collective en orthographes approchées. Les autres élèves peuvent également proposer la bonification du texte. De plus, l'équipe peut présenter la forme pressentie du calligramme et les stratégies d'adaptation qu'ils comptent utiliser pour le réaliser. Un recueil ou un site Internet présentant les calligrammes que les élèves ont réalisés pourrait ensuite être créé.

Calligramme
Poème dont la disposition des vers forme un dessin évoquant le sujet du texte.

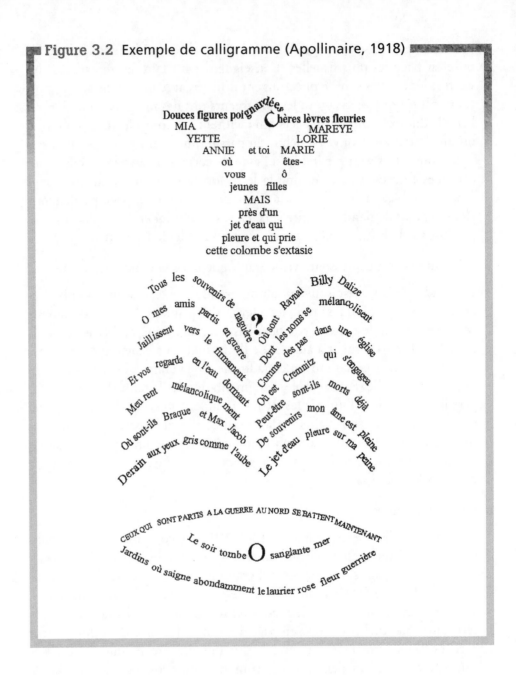

Des pistes pour aborder les préoccupations sémiographiques et lexicales

■ Donner du sens à l'effort de mémorisation

Mémoriser l'orthographe des mots est une tâche exigeante et coûteuse pour ce qui est de l'attention. Beaucoup d'élèves ont du mal à accorder une attention suffisante aux aspects orthographiques afin de les mémoriser. Il est important de leur faire prendre conscience de leur intérêt pour qu'ils s'investissent dans cet effort en leur indiquant que mémoriser l'orthographe des mots permet non seulement d'écrire, mais aussi de lire plus rapidement en fournissant un effort moindre. Puisque toute leur vie, ils devront écrire et lire, consentir à cet effort pour ensuite en fournir moins est un bon calcul.

■ Les stratégies de mémorisation lexicale

La mémorisation lexicale demande de concentrer son attention sur l'orthographe du mot et de trouver des stratégies aide-mémoire pour retenir les particularités de celui-ci. Il peut être très judicieux, durant une discussion, de mettre en commun les stratégies que les élèves utilisent déjà. À la maternelle, le point de départ peut être le prénom que la plupart des enfants ont mémorisé. Les stratégies les plus souvent évoquées sont la visualisation mentale (fermer les yeux et chercher à voir le mot mentalement), l'épellation (se souvenir de la séquence des lettres du mot de manière sonore), la mémorisation motrice (répéter l'écriture du mot en le copiant jusqu'à ce que le corps intériorise une image motrice), la mise en relief des difficultés orthographiques du mot (lettres muettes, consonnes doubles, phonogrammes de faible fréquence), la catégorisation par analogie (*chaud* se termine par un « d » comme *grand*), la dérivation (*chaud* prend un « d » à la fin parce qu'au féminin on dit *chaude*). Il peut également être utile d'aider les élèves à souligner les aspects sur lesquels ils ont tendance à commettre des erreurs en orthographe lexicale. Ainsi, ils accordent une attention particulière à ces aspects lorsqu'ils cherchent à mémoriser l'orthographe des mots. De même, il peut être pertinent d'informer les parents des différentes stratégies de mémorisation lexicale afin que ces derniers aient les moyens de soutenir leur enfant durant les leçons.

Des pistes pour aborder les préoccupations liées au principe alphabétique

■ La conscience phonologique

Les activités de conscience phonologique qui sont associées à un travail sur l'écrit sont des moyens d'aider les élèves à prendre conscience du principe alphabétique, c'est-à-dire du lien entre lettres et sons, entre mots et lettres. Par exemple, on peut partir des prénoms des élèves de la classe et les classer en fonction de leur rime (Laurie, Anthony, Magali, Sophie, Julie, Jimmy) ou de leur phonème initial (Christophe, Karine, Carole, Camille, Kevin, Christina). Ainsi, les élèves prennent conscience de la variabilité, mais aussi des régularités dans l'écriture des phonèmes. Classer les prénoms en fonction du nombre de syllabes orales en indiquant le nombre de lettres qu'ils contiennent est aussi une excellente activité (*voir le tableau 3.1*). Celle-ci permet notamment de déjouer les croyances d'une

Tableau 3.1 Nombre de syllabes orales

Nombre de syllabes	Une	Deux	Trois	Quatre
Prénom	Jules (5 lettres)	Christophe (10)	Anthony (7)	François-Xavier (14)
	Paul (4)	Jimmy (5)	Dominic (7)	Emmanuel (8)
	Claire (6)	Sophie (6)	Christina (9)	Marie-Josée (10)
	Anne (4)	Karine (6)	Mélanie (7)	Carolina (8)

quantité prototypique de caractères dans l'écriture des mots. En outre, elle permet aux élèves de prendre conscience des différences de longueur entre les syllabes (par exemple la première syllabe de Christophe compte quatre phonèmes et cinq lettres, alors que la première de Dominic, seulement deux).

■ Les correspondances phonèmes/phonogrammes

Il est beaucoup plus pertinent de travailler les correspondances entre les phonèmes et les phonogrammes en écriture, et de favoriser un transfert des savoirs ainsi construits en lecture. Effectivement, pour écrire de manière lisible des mots qui ne sont pas familiers, l'enfant, en isolant certains phonèmes, éprouvera le besoin de connaître les phonogrammes qui leur sont associés. La mémorisation de ceux-ci sera plus solide s'il doit ensuite les transcrire que s'il doit simplement les reconnaître. Par contre, il est utile, après avoir travaillé l'écriture d'un mot et des phonogrammes qu'il contient, de soutenir le transfert en lecture de ce mot et de ces phonogrammes. Par exemple, après avoir travaillé en orthographes approchées le mot *chapeau*, l'enseignant peut demander aux élèves d'essayer de lire des mots dans lesquels on trouve un ou plusieurs phonogrammes présents dans le mot travaillé comme *chat, peau, chaud, château* ou *papa*.

Des pistes pour aborder les préoccupations orthographiques

Comme nous l'avons vu précedemment, le jeune enfant prend rapidement conscience que la langue écrite est un système complexe qu'il doit apprendre. Son attention est non seulement orientée vers les unités phonographiques, mais aussi vers celles qui permettent de transcrire des unités de sens. À l'écrit, ces dernières sont, par exemple, les marques liées au pluriel, au féminin, aux temps et aux modes. La compréhension de ces marques, même si elle peut se traduire assez tôt (maternelle, première année), n'est pas sans représenter des défis pour l'enseignant qui travaille avec des élèves du primaire.

Dans le cas des plus jeunes élèves, l'enseignant peut d'abord attirer leur attention sur des mots qui comprennent des morphogrammes inaudibles, c'est-à-dire des lettres muettes. Les mots déjà connus des élèves, comme leur prénom, leur nom ou des mots affichés et souvent utilisés en classe, peuvent être un excellent point de départ pour ce type d'activité de sensibilisation linguistique. Au cours de cette activité, l'enseignant peut ainsi inviter à la réflexion certains élèves encore peu préoccupés par ces signes écrits ou encore favoriser la compréhension de ceux qui ont déjà pris connaissance de cette complexité. Certaines questions peuvent susciter et orienter le questionnement et la réflexion des élèves. En voici quelques exemples :

■ *Est-ce que vous entendez les sons de toutes les lettres du mot X ?*

■ *Est-ce que toutes les lettres (ou tous les groupements de lettres) se traduisent par des sons ?*

■ *Comment nomme-t-on ces lettres qu'on ne dit pas, qu'on n'entend pas ?*

- *Est-ce que ces lettres peuvent parfois nous aider à comprendre la signification d'un mot, d'un énoncé? (mot de la même famille, ajout d'une caractéristique: féminin, pluriel, etc.)*

- *Est-ce que certaines lettres ou certains regroupements de lettres peuvent parfois être audibles et parfois non audibles? (par exemple, les poules <u>couvent</u>... – le <u>couvent</u> qui est fréquenté par les religieuses...)*

- *Est-ce que, parfois, on peut entendre une lettre muette? (phénomène de liaison)*

Les accords grammaticaux, en particulier le pluriel, représentent longtemps des défis pour les jeunes scripteurs. Il peut être pertinent de travailler cet aspect durant une activité de mathématiques où les les élèves sont invités à se pencher sur les quantités. L'établissement de ce type de relation sémantique – les marques linguistiques du pluriel comme «s», «x» et «nt» font référence à la notion de pluralité – fournit un point d'ancrage supplémentaire pour mieux comprendre ce fait linguistique.

Le français écrit est complexe, certes. Néanmoins, les élèves peuvent appréhender l'orthographe française de façon à attirer leur attention sur les régularités observables au lieu de précipiter l'enseignement des exceptions. L'accord des verbes, des noms et des adjectifs est un fait de langue qui est propice à l'observation de ces régularités. L'observation du positionnement de certains phonogrammes est également profitable pour dégager certaines régularités orthographiques. Par exemple, la transcription «o» est la plus fréquente pour transcrire le son [o]. Il est plus fréquent d'observer le phonogramme «eau» en fin de mot plutôt qu'en début de mot (radeau, bateau), alors que «o» et «au» se présentent surtout en position initiale et médiane des mots. Ces observations peuvent aussi conduire les élèves à dégager que le son [o] est systématiquement traduit par «eau» dans le cas d'un diminutif (renardeau, par exemple).

Enfin, un atelier d'observation et d'écriture qui permet d'explorer les homophones est également une activité pouvant contribuer à enrichir les connaissances orthographiques des élèves. Ces connaissances pourront être réinvesties dans une activité d'écriture, mais aussi durant des situations de lecture.

Des pistes pour aborder différents genres de textes

L'approche des orthographes approchées peut susciter des contextes d'apprentissage qui permettent aux élèves de mieux connaître et de mieux maîtriser des textes de natures bien distinctes. La lettre de correspondance, l'affiche publicitaire, le poème, la bande dessinée, la devinette, le conte, le documentaire et le texte incitatif correspondent à des types de textes différents auxquels sont associées des intentions de communication également différentes.

Outre les aspects visuographiques, qui peuvent être travaillés avec différents types d'écrits, le travail de production et d'observation peut conduire les élèves à mieux comprendre les différentes fonctions de la langue écrite et le lien inhérent qui existe entre l'intention de communication et la forme du message. Par exemple, en lisant quelques devinettes tirées du livre *Les devinettes d'Henriette* (Major, 2004), l'enseignant peut amorcer une activité qui invitera les élèves de la classe à écrire des devinettes pour une autre classe de l'école. Ce travail de production conduira rapidement la classe à déterminer les critères à respecter pour formuler une devinette efficace. L'annonce d'une activité dont la classe est à l'origine (un tournoi, une exposition, etc.) peut servir de prétexte signifiant pour concevoir une affiche qui pourra être réalisée de façon progressive en faisant appel aux principes directeurs des orthographes approchées.

Évidemment, la lecture régulière en classe peut soutenir un travail qui permet de dégager les particularités d'un texte informatif, incitatif et narratif. Ce travail d'analyse peut contribuer à enrichir l'expérience des élèves en écriture dans la mesure où ils relèveront des critères qui pourront être réinvestis dans une tâche de production.

Chapitre 4

Les activités intégrant les orthographes approchées au préscolaire et au primaire

Activité 1

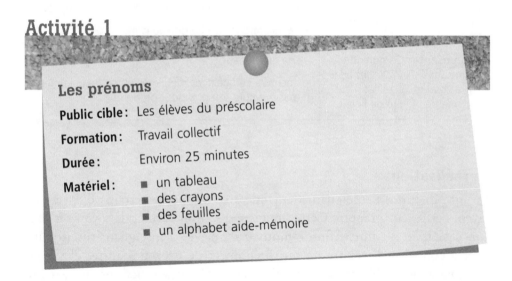

Les prénoms

Public cible : Les élèves du préscolaire

Formation : Travail collectif

Durée : Environ 25 minutes

Matériel :
- un tableau
- des crayons
- des feuilles
- un alphabet aide-mémoire

Le déroulement

La préparation

À leur entrée au préscolaire, ce ne sont pas tous les enfants qui connaissent les lettres de leur prénom. Comme celui-ci est souvent sollicité pour identifier les objets personnels, réserver un atelier en classe ou signer un dessin, il est important que l'enfant puisse reconnaître et écrire son prénom. À l'occasion d'un travail collectif, l'enseignant propose aux enfants d'essayer d'écrire les prénoms de quelques enfants de la classe. Cette activité significative de familiarisation aux orthographes approchées, qui amène les enfants à utiliser la langue écrite, se réalise bien en début d'année. L'enseignant peut reproduire cette activité afin d'examiner tous les prénoms des enfants de la classe.

Dans cette activité, l'enseignant donne l'occasion à ses élèves :

- de reconnaître et d'apprendre à écrire leur prénom ;

- d'essayer de reconnaître et d'apprendre le prénom des autres enfants de la classe.

Le choix du mot

L'enseignant amène les enfants à mémoriser leur prénom et celui des autres enfants de la classe.

Les liens avec le programme de formation pour l'éducation préscolaire sont présentés dans le tableau 4.1.

Tableau 4.1 Liens avec le programme de formation (MEQ, 2001)

Compétence du préscolaire	Savoirs essentiels
Compétence 4 : Communiquer en utilisant les ressources de la langue **Composante :** Comprendre un message – établir des liens entre l'oral et l'écrit, et reconnaître l'utilité de l'écrit	• La reconnaissance de quelques lettres de l'alphabet • La reconnaissance de quelques mots écrits (par exemple son prénom, celui de ses amis, celui de son enseignant) • L'écriture de quelques mots qu'il utilise fréquemment (par exemple son prénom, son nom)

La réalisation

En introduction, l'enseignant demande aux enfants si certains d'entre eux savent écrire leur prénom. Cette première question permet de savoir où chacun des élèves se situe. Afin de motiver ses élèves, l'enseignant suscite l'intérêt à connaître l'écriture de son prénom et de ceux des autres élèves en soulignant les différents avantages et les différentes fonctions liés à cette connaissance. Une fois l'activité bien contextualisée, un enfant tire au hasard le prénom d'un (ou deux) enfants et, dans un travail collectif, l'enseignant les questionne sur l'orthographe de ces prénoms. Les questions posées lui permettront d'établir un portrait des représentations que possèdent ses élèves. Si l'enfant connaît l'orthographe de son prénom, l'enseignant lui demande de ne pas intervenir durant les propositions d'écriture, mais plutôt lors de la validation des propositions d'écriture. L'enfant devient donc l'expert de son prénom. Comme cette activité se veut une activité de familiarisation, il est important que l'enseignant encourage les enfants à écrire, même s'ils connaissent peu l'alphabet. Il importe aussi de valoriser le savoir personnel des enfants.

La norme orthographique

L'enseignant invite l'enfant dont le prénom est travaillé à l'écrire au tableau. Si l'enfant ne connaît pas l'orthographe, l'enseignant l'aide à écrire son prénom. Cette aide peut se concrétiser, par exemple, avec un rappel de certaines lettres de son prénom. L'enseignant peut se référer à des écrits qui sont présents dans la classe ou encore il peut isoler certains sons compris dans le prénom de l'enfant.

La marche nuptiale

À l'occasion de ce travail sur les prénoms, il est possible que certains digrammes ressortent (par exemple **Ph**ilippe, **An**dréanne, Mart**in**). Afin d'aider les enfants à retenir ces digrammes, scander l'air de la marche nuptiale s'avère un excellent moyen. Par exemple, il suffit de leur expliquer qu'une fois les lettres « A » et « N » mariées, elles forment un nouveau son : « AN ». Les enfants sont invités à fredonner ensuite cet air avec ce nouveau son : « AN, AN, AN, AN... ».

Choisir des lettres

Il est possible, et normal, que des enfants écrivent des mots avec des lettres non présentes dans le mot à écrire (par exemple *JkoGt* pour *ami*). Dans ce cas, il est important de valoriser l'enfant sur le fait qu'il ait choisi des lettres et non des chiffres ou des dessins dans sa tentative d'écrire le mot *ami*.

Le retour collectif

Avant de commencer le retour collectif, l'enseignant questionne les enfants sur l'utilité d'apprendre à orthographier leur prénom et celui de leurs camarades de classe (à quoi ça sert?). Ensuite, l'enseignant amène les enfants à comparer la proposition initiale à la vraie orthographe du prénom en comptant le nombre de lettres identiques et en nommant les lettres du prénom. De plus, il demande aux enfants de partager les stratégies qui ont été utilisées pour écrire le prénom et de mentionner les lettres qu'ils connaissaient. L'enfant dont le prénom devait être écrit peut expliquer aux autres la façon dont il a réussi à mémoriser les lettres de son prénom, s'il les connaissait.

L'intégration

Le transfert et le réinvestissement

L'enseignant répète cette activité afin que tous les prénoms des enfants soient examinés. Il travaille ainsi tous les prénoms des enfants de la classe qu'il affiche au tableau. L'enseignant doit encourager les enfants d'une part à écrire en se basant sur les connaissances déjà acquises et, d'autre part, à partager leur savoir et leurs stratégies. Par la suite, l'enseignant peut réinvestir et consolider les acquis des enfants. Quelques activités les amèneront à reconnaître ou à produire leur prénom ou ceux des autres enfants de la classe. Voici quelques exemples :

■ Tous les lundis matin, l'enseignant invite les enfants à écrire leur prénom sur un bout de papier. Ils peuvent se référer à la liste des prénoms qui sont affichés au tableau.

- Dans un travail collectif, l'enseignant invite les enfants à classer les prénoms selon certains critères. Par exemple, le classement peut se faire à partir de la première lettre du prénom (les enfants réunissent les prénoms qui commencent par un «A», par un «B», etc.), de la rime, du nombre de syllabes.

- L'enseignant amène les enfants à prendre les présences. En groupe-classe, ils lisent la liste des prénoms. À mesure que l'année scolaire avance, un enfant peut essayer de prendre seul les présences.

Activité 2

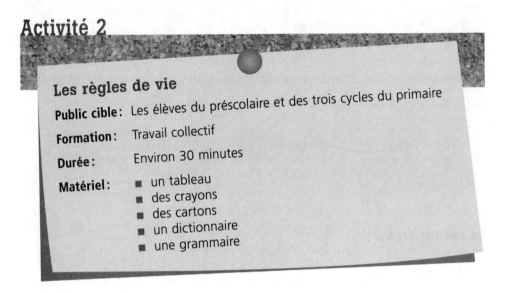

Les règles de vie

Public cible : Les élèves du préscolaire et des trois cycles du primaire

Formation : Travail collectif

Durée : Environ 30 minutes

Matériel :
- un tableau
- des crayons
- des cartons
- un dictionnaire
- une grammaire

Le déroulement

La préparation

En début d'année, il est important d'instaurer des règles de vie avec les élèves. Pour ce faire, l'enseignant décide de les faire participer au choix des règles de la classe. Comme cette activité permet de se familiariser avec les orthographes approchées, il est nécessaire que l'enseignant modélise la démarche de cette pratique. En d'autres mots, il doit expliciter à voix haute tous ses choix orthographiques et stratégiques.

Dans cette activité, l'enseignant :

- donne l'occasion à ses élèves d'essayer de trouver comment s'écrivent des mots ;

- réalise des activités où ses élèves sont amenés à mémoriser des mots ;

- invite les élèves à travailler la phrase (ponctuation, constituants de la phrase) ;

- réalise des activités qui permettent à ses élèves de prendre conscience des fonctions de l'écrit (utilisation de l'écrit pour conserver la trace des règles de vie choisies par la classe) ;

- amène les élèves à réfléchir sur les stratégies de révision.

Les liens avec le programme de formation sont décrits dans le tableau 4.2.

Tableau 4.2 Liens avec le programme de formation (MEQ, 2001)

Classe	Compétences	Savoirs essentiels
Préscolaire	**Compétence 4 :** Communiquer en utilisant les ressources de la langue **Composante :** Comprendre un message – établir des liens entre l'oral et l'écrit et reconnaître l'utilité de l'écrit	• La reconnaissance de quelques lettres de l'alphabet • La reconnaissance de l'écrit dans l'environnement
Premier cycle	**Compétence 1 :** Lire des textes variés **Compétence 2 :** Écrire des textes variés	**Exploration et utilisation du vocabulaire en contexte** • Noms des lettres de l'alphabet et des signes orthographiques • Vocabulaire visuel constitué de mots fréquents et utiles • Principe alphabétique et combinatoire (règles d'assemblage des relations lettres/sons) **Utilisation de l'orthographe conforme à l'usage** • Majuscules en début de phrase et aux noms propres
Deuxième cycle	**Compétence 1 :** Lire des textes variés **Compétence 2 :** Écrire des textes variés	**Exploration et utilisation du vocabulaire en contexte** • Vocabulaire visuel constitué de mots fréquents et utiles **Reconnaissance et utilisation des groupes qui constituent la phrase** • Groupe sujet, groupe verbe **Accords dans la phrase** • Sujet-verbe (accord du verbe en nombre et en personne avec son pronom sujet ou son groupe sujet transformé en pronom) **Utilisation de l'orthographe conforme à l'usage** • Majuscules en début de phrase et aux noms propres
Troisième cycle	**Compétence 1 :** Lire des textes variés **Compétence 2 :** Écrire des textes variés	**Exploration et utilisation du vocabulaire en contexte** • Vocabulaire visuel constitué de mots fréquents et utiles **Reconnaissance et utilisation des groupes qui constituent la phrase** • Groupe sujet, groupe verbe • Groupe complément de phrase **Accords dans la phrase** • Sujet-verbe (accord du verbe en nombre et en personne avec son pronom sujet ou son groupe sujet transformé en pronom) **Utilisation de l'orthographe conforme à l'usage** • Majuscules en début de phrase et aux noms propres

Le choix des phrases

L'enseignant et les élèves formulent les règles de vie qu'ils veulent mettre en place dans leur classe. Il invite les élèves à écrire ces règles sous forme de phrases. Ce contexte significatif d'écriture leur donne l'occasion de prendre conscience que l'écrit permet de fixer une trace qui les informera en tout temps des règles qu'ils doivent respecter.

La réalisation

L'enseignant demande d'abord aux élèves de trouver de trois à cinq règles essentielles à une bonne gestion de classe (par exemple, écouter la personne qui parle, lever la main avant de parler). Pour la première règle, il se donne en modèle en l'écrivant au tableau et en expliquant chacun de ses choix tant orthographiques que stratégiques.

Ensuite, l'enseignant invite les élèves à écrire les autres règles. Pour le préscolaire et le premier cycle, l'enseignant retient quelques mots par phrase. Dans le cas des élèves du deuxième et du troisième cycle, il les questionne sur la phrase ainsi qu'à propos de tous les mots qui la constituent. Pour ces élèves, une phase individuelle de production de ces règles de vie peut être envisagée. Cela signifie qu'ils écrivent seuls la phrase dans un premier temps, et en travail collectif dans un deuxième temps.

Avant de commencer la production des mots ou des phrases, l'enseignant invite les élèves à réfléchir aux connaissances qu'ils possèdent sur la langue écrite. Il revoit avec eux les questions qu'il s'est posées durant la modélisation pour écrire la première règle afin que les élèves aient en tête ces questions. Pour commencer, l'enseignant interroge les élèves sur l'écriture des mots, ce qui lui permet d'examiner les représentations des élèves de sa classe en ce qui concerne la langue écrite. Enfin, l'enseignant écrit au tableau les choix orthographiques des élèves, même si ces choix ne sont pas conformes à la norme.

La norme orthographique

À partir des mots que les élèves ont orthographiés, l'enseignant leur demande comment ils pourraient savoir s'ils ont trouvé la bonne orthographe (par exemple, en cherchant dans le dictionnaire ou la grammaire, en demandant à un adulte ou un à enfant plus âgé). Cette discussion permet l'échange de stratégies de révision. Pour cette activité, l'enseignant fournit la norme orthographique en expliquant les difficultés orthographiques de certains mots.

Les difficultés orthographiques

Les difficultés orthographiques peuvent correspondre aux mutogrammes (les lettres muettes), aux digrammes ou aux trigrammes (les phonèmes composés de deux ou de trois graphèmes), aux consonnes doubles et aux accords du verbe en nombre et en personne avec son pronom sujet ou son groupe sujet transformé en pronom.

Le retour collectif

Pour le retour collectif, les élèves aidés de l'enseignant relèvent d'abord les différences et les ressemblances entre la proposition d'écriture initiale et l'écriture normée. Ensuite, ils discutent des choix orthographiques et des stratégies d'écriture qu'ils ont mobilisés en écrivant. De plus, l'enseignant s'assure d'avoir atteint les objectifs de cette activité.

Le prolongement de l'activité

Pour clore l'activité, les enfants du préscolaire illustrent les règles que l'enseignant a écrites préalablement. Les élèves des trois cycles copient les règles de classe sur un carton et les illustrent.

L'intégration

Le transfert et le réinvestissement

L'enseignant procède de la façon décrite dans cette activité pour instaurer les responsabilités dans la classe. Dans un premier temps, la classe décide des responsabilités et, ensuite, les élèves essaient de les écrire en orthographes approchées.

Activité 3

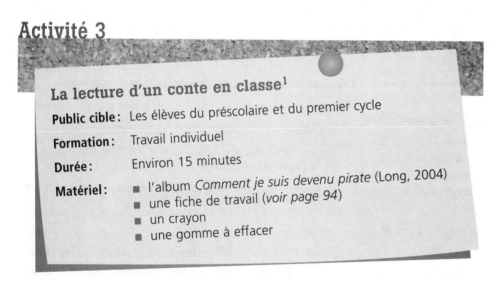

La lecture d'un conte en classe[1]

Public cible : Les élèves du préscolaire et du premier cycle

Formation : Travail individuel

Durée : Environ 15 minutes

Matériel :
- l'album *Comment je suis devenu pirate* (Long, 2004)
- une fiche de travail (*voir page 94*)
- un crayon
- une gomme à effacer

Le déroulement

La préparation

L'enseignant présente à ses élèves le monde fantastique des pirates en lisant le conte *Comment je suis devenu pirate*. Cette histoire raconte l'aventure d'un petit garçon, Jérémie Jacob, qui se joint à des pirates pour les aider à enterrer leur trésor. L'enseignant fait la lecture du livre, mais s'arrête avant de nommer l'endroit où les pirates et Jérémie ont caché le trésor. Il questionne

---

1. Inspirée d'une activité réalisée par Myriam Ouellette, enseignante en première année à l'école Adélard-Desrosiers (Commission scolaire de Pointe-de-l'Île).

les élèves sur les endroits possibles où le trésor pourrait être caché. Ce temps de préparation est important, car il permet de contextualiser de façon significative la situation d'écriture qui suivra.

Dans cette activité, l'enseignant :

- lit à voix haute un livre à ses élèves ;
- donne l'occasion aux élèves d'essayer de trouver comment s'écrit un mot ;
- donne l'occasion aux élèves de mémoriser des mots ;
- propose une activité qui permet aux élèves d'établir le lien entre les sons du langage et les lettres de l'alphabet.

Les liens avec le programme de formation sont présentés dans le tableau 4.3.

Tableau 4.3 Liens avec le programme de formation (MEQ, 2001)

Classe	Compétences	Savoirs essentiels
Préscolaire	**Compétence 4 :** Communiquer en utilisant les ressources de la langue **Composante :** Comprendre un message – établir des liens entre l'oral et l'écrit et reconnaître l'utilité de l'écrit	• La reconnaissance de quelques lettres de l'alphabet • La reconnaissance de l'écrit dans l'environnement
Premier cycle	**Compétence 1 :** Lire des textes variés **Compétence 2 :** Écrire des textes variés **Compétence 4 :** Apprécier des œuvres littéraires	**Exploration et utilisation du vocabulaire en contexte** • Noms des lettres de l'alphabet et des signes orthographiques • Vocabulaire visuel constitué de mots fréquents et utiles • Principe alphabétique et combinatoire (règles d'assemblage des relations lettres/sons)

Le choix du mot

À la suite de l'histoire, l'élève doit choisir l'endroit où, à son avis, les pirates et Jérémie ont caché le trésor. En se servant de ses connaissances sur le système alphabétique, il essaiera d'écrire le nom de l'endroit.

La réalisation

Après avoir fait un remue-méninges avec tous les élèves de la classe à propos de l'endroit où les pirates et Jérémie ont caché le trésor, l'enseignant invite chacun des élèves à choisir un endroit parmi tous ceux qui ont été énumérés. Cet endroit doit être celui qui est le plus plausible compte tenu de l'histoire lue, ce qui permet de susciter une anticipation sur la base d'indices présents dans le texte. Avec les élèves, l'enseignant prend soin de revoir les stratégies d'écriture possibles (s'appuyer sur les sons qu'on entend, utiliser les affiches dans la classe, faire des analogies avec des mots que l'on connaît, utiliser l'alphabet aide-mémoire, etc.). Individuellement, chaque élève tente sa proposition d'écriture sur sa fiche de travail. L'enseignant cible quelques élèves en difficulté et les questionne plus précisément sur les stratégies qu'ils utilisent et les raisons qui expliquent le choix des lettres. Le fait de poser ces questions lui permettra d'en connaître davantage sur les idées que se font certains enfants en difficulté en ce qui concerne la langue écrite.

Les trois temps de l'écriture

Dans la situation d'écriture, il existe trois temps durant lesquels il est possible de questionner l'élève (Besse et l'ACLE, 2000): 1) le temps de l'élaboration d'une représentation mentale de ce qui est à écrire (représentation de la tâche); 2) le temps de la production écrite proprement dite par l'élève; 3) le temps de l'interprétation, par l'élève, de ce qui vient d'être produit à l'écrit.

Pour chacun des temps énoncés, des questions sont appropriées:

- **Premier temps:** Qu'est-ce que tu entends? Comment vas-tu l'écrire?

- **Deuxième temps:** Tu veux écrire un « j »? Tu l'entends où? Au début, au milieu ou à la fin? Qu'est-ce qui te fait penser qu'il faut écrire un « j »?

- **Troisième temps:** Essaie de lire avec ton doigt ce que tu as écrit. Qu'est-ce qui te fait penser que le mot s'écrit ainsi?

Le retour collectif

Pendant le retour collectif, à tour de rôle, les enfants intéressés et volontaires viennent présenter l'endroit où ils pensent que les pirates et Jérémie ont caché le trésor (dessin et écriture). Comme l'enseignant avait insisté sur les stratégies à utiliser avant de commencer l'écriture, il les interroge sur les stratégies qu'ils ont employées. Cette façon de procéder lors du retour permet aux élèves de partager et d'apprendre de nouvelles stratégies. Ainsi, les élèves sont concrètement amenés à réfléchir sur la question suivante: Comment faire pour maîtriser la langue écrite?

L'enseignant termine la lecture du conte et présente aux élèves l'endroit où les pirates et Jérémie ont caché le fameux trésor. Les ressemblances et les divergences entre les hypothèses des enfants et l'endroit choisi par l'auteur du conte sont soulevées grâce à un questionnement de la part de l'enseignant. Ensemble, ils essaient d'écrire le nom de l'endroit au tableau.

La norme orthographique

Lors du retour individuel avec les enfants en difficulté, si ces derniers le demandent, l'enseignant écrit ou leur fait chercher la norme orthographique correspondant au mot choisi. Au moment du retour collectif, l'enseignant écrit au tableau les mots normés correspondant aux propositions d'écriture des élèves. Il questionne les élèves sur l'importance d'orthographier correctement les mots.

Le prolongement de l'activité

Pour terminer cette activité, l'enseignant demande aux élèves de copier la norme orthographique de leur mot sur leur fiche, au-dessous du dessin et de la proposition initiale. Il relie les fiches des élèves et les place à la fin du conte afin que les élèves puissent s'y référer lorsqu'ils regardent le livre dans le coin bibliothèque.

L'intégration

Le transfert et le réinvestissement

L'activité sur le thème de la «chasse au trésor» sert d'activité de transfert. Plus précisément, les élèves devront réaliser la même tâche, mais à partir d'un contexte différent.

Activité 4

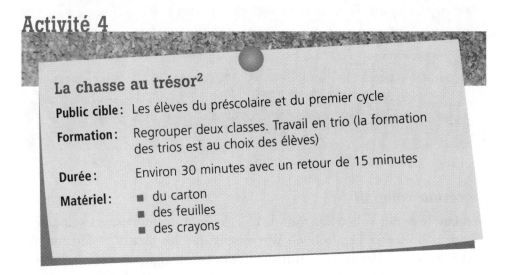

La chasse au trésor[2]

Public cible : Les élèves du préscolaire et du premier cycle

Formation : Regrouper deux classes. Travail en trio (la formation des trios est au choix des élèves)

Durée : Environ 30 minutes avec un retour de 15 minutes

Matériel :
- du carton
- des feuilles
- des crayons

Le déroulement

La préparation

La fête de Pâques arrive à grands pas, et les fêtes sont toujours l'occasion de réaliser des activités spéciales. Cette fois-ci, une chasse au trésor est au programme. L'enseignant et ses élèves organisent une chasse au trésor avec une autre classe de maternelle de la même école. Pour que cette classe découvre le trésor, l'enseignant propose à ses élèves d'écrire un indice. De plus, il prend soin de reparler de l'activité d'orthographes approchées qu'ils avaient réalisée antérieurement à partir du livre *Comment je suis devenu pirate* (*voir la page 67*).

Dans l'optique où les élèves sont habitués aux pratiques d'orthographes approchées et qu'ils possèdent plus de connaissances sur la langue écrite, le début du printemps est un moment propice pour introduire des unités langagières plus larges que le mot isolé. Dans ce contexte, une activité de production de phrase segmentée entre différents trios peut constituer une situation intermédiaire entre une production de mot isolé et une production

---

2. Inspirée d'une activité réalisée par Nathalie Laroche et Marie-France Meunier, enseignantes à l'école primaire Vinet-Souligny, à Saint-Constant (Commission scolaire des Grandes-Seigneuries).

de phrase. Comme l'indice est une phrase (par exemple *Les œufs sont près d'un escalier*), l'enseignant propose aux élèves de se regrouper en trio afin de tenter d'écrire des mots compris dans la phrase indice.

Dans cette activité, l'enseignant :

■ donne l'occasion aux élèves de faire des tentatives d'écriture pour des mots qui, ensemble, formeront un message ;

■ réalise des activités qui permettent aux élèves de prendre conscience des fonctions de l'écrit (utilisation de l'écrit pour fournir de l'information) ;

■ propose une activité qui permet aux élèves de prendre conscience des sons du langage et des lettres de l'alphabet ;

■ propose des activités qui permettent aux élèves d'établir un lien entre les sons du langage et les lettres de l'alphabet ;

■ familiarise, au besoin, les élèves au tracé des lettres (la calligraphie) ;

■ amène les élèves à utiliser le point en fin de phrase ;

■ permet aux élèves de travailler l'accord entre le déterminant et le nom.

Les liens avec le programme de formation sont présentés dans le tableau 4.4.

Tableau 4.4 Liens avec le programme de formation (MEQ, 2001)

Classe	Compétences	Savoirs essentiels
Préscolaire	**Compétence 4 :** Communiquer en utilisant les ressources de la langue **Composante :** Comprendre un message – établir des liens entre l'oral et l'écrit et reconnaître l'utilité de l'écrit	• La reconnaissance de quelques lettres de l'alphabet • La reconnaissance de l'écrit dans l'environnement
Premier cycle	**Compétence 2 :** Écrire des textes variés	**Exploration et utilisation du vocabulaire en contexte** • Noms des lettres de l'alphabet et des signes orthographiques • Vocabulaire visuel constitué de mots fréquents et utiles • Principe alphabétique et combinatoire (règles d'assemblage des relations lettres/sons) **Accords dans le groupe du nom** • (Déterminant + Nom) **Recours à la ponctuation** • Point

Le choix du mot ou de la phrase

La phrase qui sert d'indice pour la chasse au trésor a été choisie collectivement au moment de la mise en situation. Elle a été segmentée en mots ou groupes de mots (Les – œufs – sont – près – d'un – escalier), et l'enseignant a attribué chacun de ceux-ci en fonction du niveau de compétence à l'écrit des élèves réunis en trios. Par exemple, le déterminant *Les,* familier aux élèves, est attribué aux trios les moins avancés.

La réalisation

L'enseignant énonce clairement l'objectif visé par la tâche, soit d'écrire une phrase qui constitue l'indice pour la chasse au trésor. Les élèves d'un autre groupe de maternelle liront cet indice. Pour y arriver, chaque trio écrit un mot, sans oublier que ce mot appartient à la phrase indice. L'enseignant précise les consignes et les rôles de chaque membre du trio dans cette activité d'écriture. Un seul crayon est disponible dans chaque trio. Le responsable du crayon doit attendre que tous les membres de l'équipe soient d'accord sur les idées pour écrire le mot. Le responsable de la feuille de l'alphabet aide le responsable du crayon, si ce dernier ne sait pas comment tracer les lettres choisies. Le responsable de l'accord et du temps s'assure d'une part que tout le monde est d'accord avant que le responsable du crayon écrive et, d'autre part, que le temps accordé pour la tâche est respecté.

Durant l'écriture, l'enseignant peut choisir d'observer tous les trios ou un seul trio. Dans ce dernier cas, il prendra le temps de questionner les élèves afin de se faire une idée de leurs représentations par rapport à la langue écrite. Si l'enseignant veut se consacrer à une seule équipe, mais que les autres nécessitent un soutien, il peut demander l'aide d'élèves plus âgés afin de superviser les trios dans leur tentative d'écriture.

Le rôle du scripteur

Dans des situations d'écriture en trio avec un seul scripteur, il est intéressant de confier ce rôle à l'élève le plus faible. Ainsi, ce dernier se sentira davantage concerné par l'activité et devra être à l'écoute des autres membres de l'équipe en ce qui concerne le choix et la calligraphie des lettres et les stratégies que les membres de l'équipe verbalisent.

Le retour collectif

Lorsque tous les trios ont terminé leur tâche d'écriture, ils sont invités à écrire leur mot au tableau. Le retour est effectué en grand groupe. Ensemble, les enfants regardent les mots produits, et l'enseignant interroge chacune des équipes à propos de leurs hypothèses. Les élèves des autres trios sont également invités à questionner et à commenter les productions des autres trios. Dans un premier temps, la prise en considération des propositions des élèves démontre que l'enseignant valorise ce qui est construit chez l'enfant.

La norme orthographique

Dans un souci de lisibilité, les élèves sont invités à faire une enquête afin de trouver la norme orthographique du mot qu'ils ont tenté d'écrire en trio en prenant soin de le situer dans la phrase.

Le retour collectif sur la norme orthographique

Le lendemain, la phrase produite est examinée à nouveau. Les élèves font part des résultats de leur enquête et en discutent. Ils sont invités à échanger sur les différences et les ressemblances entre les mots normés et les propositions d'écriture initiale. L'enseignant soutient les élèves afin de produire la phrase de manière orthographique. Compte tenu que les élèves devaient écrire un seul mot, et que ce mot serait ensuite placé dans une phrase, l'enseignant les amène à réfléchir sur ce qu'est un mot et ce qu'est une phrase.

Le prolongement de l'activité

La phrase indice est remise aux élèves de l'autre classe pour qu'ils puissent participer à la chasse au trésor. Les enfants ont ainsi l'occasion de constater le caractère fonctionnel de l'écrit.

L'intégration

Le transfert et le réinvestissement

Dans le but travailler la stratégie analogique, l'enseignant propose aux élèves d'écrire le mot du jour en orthographes approchées. En se basant sur le mot *escalier*, que les enfants ont écrit préalablement dans la phrase indice à l'occasion de la chasse au trésor, l'enseignant choisit le mot *escalade*. Les élèves pourront travailler la stratégie analogique, car ils peuvent s'appuyer sur le mot *escalier* pour écrire *escalade*. Cette activité de transfert tient compte des connaissances des élèves et doit évidemment s'inscrire dans un contexte signifiant.

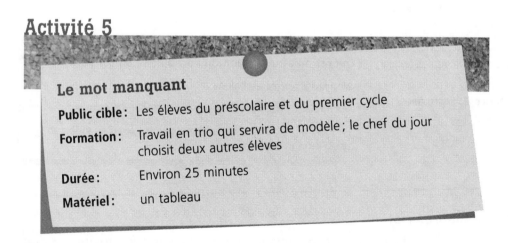

Activité 5

Le mot manquant

Public cible : Les élèves du préscolaire et du premier cycle

Formation : Travail en trio qui servira de modèle ; le chef du jour choisit deux autres élèves

Durée : Environ 25 minutes

Matériel : un tableau

Le déroulement

La préparation

Chaque matin, au tableau, l'enseignant écrit un message destiné à ses élèves. Afin d'intégrer les orthographes approchées à son enseignement, il laisse un espace dans son message pour indiquer qu'un mot est absent. Durant la lecture du message, en identifiant des indices, les enfants doivent anticiper le mot qui serait possible dans le contexte, ce qui mobilise chez eux des stratégies sémantico-contextuelles. Une fois le mot trouvé, un trio va à l'avant de la classe pour tenter de l'écrire à partir des idées qu'ils s'en font. Cette situation, qui combine la lecture et l'écriture, permet aux élèves de constater que l'un ne se dissocie pas de l'autre.

Dans cette activité, l'enseignant :

■ propose des activités qui incitent les élèves à anticiper des mots vraisemblables pour compléter une phrase en tenant compte du sens ;

■ permet aux élèves d'essayer de trouver comment s'écrit un mot ;

■ permet aux élèves d'établir un lien entre lire et écrire ;

■ propose des activités qui permettent aux élèves d'établir un lien entre les sons du langage et les lettres de l'alphabet ;

■ organise des activités qui permettent aux élèves de comparer des lettres et des mots en tenant compte de leurs différences ou de leurs ressemblances.

Les liens avec le programme de formation sont présentés dans le tableau 4.5.

Tableau 4.5 Liens avec le programme de formation (MEQ, 2001)

Classe	Compétences	Savoirs essentiels
Préscolaire	**Compétence 4 :** Communiquer en utilisant les ressources de la langue **Composante :** Comprendre un message – établir des liens entre l'oral et l'écrit et reconnaître l'utilité de l'écrit	• La reconnaissance de quelques lettres de l'alphabet • La reconnaissance de quelques mots écrits
Premier cycle	**Compétence 1 :** Lire des textes variés **Compétence 2 :** Écrire des textes variés	**Exploration et utilisation du vocabulaire en contexte** • Noms des lettres de l'alphabet et des signes orthographiques • Vocabulaire visuel constitué de mots fréquents et utiles • Principe alphabétique et combinatoire (règles d'assemblage des relations lettres/sons)

Le choix du mot

À la lecture du message, l'enseignant amène les enfants à anticiper le mot manquant dans le message du matin. Il peut observer les indices que les enfants utilisent pour découvrir le mot absent.

La réalisation

Dans un premier temps, l'enseignant donne la consigne suivante : chacun des élèves doit écrire son hypothèse d'écriture en fonction de ses propres idées. Il insiste sur le fait que tous les élèves ont de bonnes idées et qu'il est important de les mettre sur papier. Ensuite, à l'occasion d'un travail en trio, chacun des trois élèves doit expliquer à son équipe les idées qui ont conduit à sa tentative d'écriture (l'explication du choix des lettres). Ce partage d'information permettra aux élèves de vivre des conflits sociocognitifs et d'apprendre ou de modifier certaines représentations. Ce travail en équipe doit conduire le trio à émettre une proposition commune qui est atteinte grâce à un consensus.

Le retour collectif

Lorsque la proposition commune est écrite au tableau, l'enseignant amène les élèves à discuter du travail que le trio a fait et du choix orthographique qui a été l'objet de consensus. Les élèves de la classe sont encouragés à proposer de nouvelles idées. Le retour peut s'effectuer immédiatement après la journée même ou encore le lendemain.

La norme orthographique

Pour trouver la norme orthographique, tous les enfants deviennent enquêteurs. Ils doivent trouver une stratégie pour déterminer comment s'orthographie le mot. Lorsque le mot est trouvé, l'enseignant invite un élève à venir l'écrire au tableau. Ensemble, ils comparent le mot normé à la proposition initiale. Ainsi, les enfants peuvent examiner ce qu'ils ont construit sur la langue écrite.

Le prolongement de l'activité

Un enfant écrit la proposition initiale, dessine le mot et écrit le mot normé dans un grand cahier d'orthographes approchées placé dans le coin lecture[3].

L'intégration

Le transfert et le réinvestissement

Le cahier d'orthographes approchées devient un outil de référence pour les élèves dans des situations d'écriture. De plus, à l'occasion des messages du matin, l'enseignant peut choisir un mot qui a déjà été travaillé afin de le réinvestir et de vérifier si certains enfants l'ont mémorisé.

---

3. Cette idée provient de Lise Meunier, enseignante à l'école primaire Piché-Dufrost, à Saint-Constant (Commission scolaire des Grandes-Seigneuries), qui a eu recours à cette pratique avec ses élèves de maternelle.

Activité 6

L'écriture d'une phrase

Public cible : Les élèves du préscolaire ou du premier cycle. Cette activité peut être adaptée pour des élèves des deuxième et troisième cycles.

Formation : Le travail se fait en trio. Pour former les trios, quatre à huit apprentis scripteurs (en fonction du nombre d'élèves du groupe) sont déterminés au hasard et choisissent deux camarades de travail.

Durée : Environ 25 minutes

Matériel :
- un tableau
- des cartons
- des crayons

Le déroulement

La préparation

Le message du matin peut être abordé de différentes façons. Dans cette activité, les trios écrivent le même message ou la même phrase. Avant de réaliser cette forme de message du matin, il est important d'avoir déjà fait cette activité avec des mots absents.

Dans cette activité, l'enseignant :

- donne l'occasion aux élèves d'essayer de trouver comment s'écrit une phrase ;
- réalise des activités où les élèves sont amenés à mémoriser des lettres ou des mots ;
- propose des activités qui permettent aux élèves de prendre conscience des sons du langage et des lettres de l'alphabet ;
- donne l'occasion aux élèves de faire des tentatives d'écriture de phrases qui, ensemble, formeront un message ;
- propose des activités qui permettent aux élèves d'établir le lien entre les sons du langage et les lettres de l'alphabet.

Les liens avec le programme de formation sont présentés dans le tableau 4.6.

Le choix de la phrase

Les enfants décident ce qu'ils veulent écrire et tentent de l'écrire à partir de leurs propres idées. Ils doivent cependant respecter l'intention de la phrase qui leur a été attribuée.

La réalisation

L'enseignant explique aux enfants qu'ils se réuniront en trio afin d'écrire le message du matin. Chaque trio composera et écrira une phrase en commun.

Tableau 4.6 Liens avec le programme de formation (MEQ, 2001)

Classe	Compétences	Savoirs essentiels
Préscolaire	**Compétence 4:** Communiquer en utilisant les ressources de la langue **Composante:** Comprendre un message – établir des liens entre l'oral et l'écrit et reconnaître l'utilité de l'écrit	• La reconnaissance de quelques lettres de l'alphabet • La reconnaissance de quelques mots écrits
Premier cycle	**Compétence 1:** Lire des textes variés **Compétence 2:** Écrire des textes variés	**Exploration et utilisation du vocabulaire en contexte** • Noms des lettres de l'alphabet et des signes orthographiques • Vocabulaire visuel constitué de mots fréquents et utiles • Principe alphabétique et combinatoire (règles d'assemblage des relations lettres/sons) **Accords dans le groupe du nom** • (Déterminant + Nom) **Recours à la ponctuation** • Point **Utilisation de l'orthographe conforme à l'usage** • Majuscules en début de phrase et aux noms propres

Il faut qu'ils arrivent à un consensus sur ce qu'ils veulent écrire et sur la façon dont ils vont l'écrire. L'enseignant questionne les élèves pour savoir ce que doit comporter le message. Une fois les parties énoncées, il distribue le travail aux équipes. Le premier trio compose et écrit une phrase de salutations. Le deuxième trio compose et écrit une phrase portant sur quelque chose qui a été fait hier. Le troisième trio compose et écrit une phrase qui parle de quelque chose qu'ils vont faire aujourd'hui. Le quatrième trio (et éventuellement, le cinquième et le sixième en fonction du nombre d'élèves de la classe) compose et écrit une phrase relative à ce qu'ils aimeraient faire bientôt. Enfin, le dernier trio compose et écrit une phrase de salutations finales. L'enseignant peut choisir d'attribuer la nature des phrases en fonction de la force des trios. En effet, les phrases de salutations initiales et finales sont généralement plus simples et plus courtes. Par conséquent, confier ces phrases à des élèves moins à l'aise avec l'écrit peut constituer un moyen de différencier les tâches à accomplir.

De plus, l'enseignant explique qu'un seul élève par trio est scripteur et que tous les élèves doivent émettre leurs idées avant de commencer l'écriture de la phrase. Ce partage permet aux élèves de vivre des conflits sociocognitifs et d'apprendre ou de modifier certaines représentations. Durant la situation d'écriture, l'enseignant circule et observe les interactions entre les enfants.

Le retour collectif

Les enfants inscrivent leur phrase sur un grand carton. Lorsque toutes les phrases sont écrites, les trios sont amenés à les replacer dans un ordre logique au tableau. Ensuite, les élèves aidés de l'enseignant examinent chacune des phrases produites et, ensemble, ils lisent chacune des phrases afin de connaître le message au complet. À partir des observations faites durant l'écriture, l'enseignant demande à certaines équipes d'expliquer les conflits qu'ils ont vécus et comment ils ont fait pour trouver un accord.

La norme orthographique

Les enfants sont invités à procéder à une enquête en équipe, dans l'école ou à la maison, pour se rapprocher de la norme de la phrase produite. Lorsque la norme orthographique est trouvée pour tout le message, une discussion de groupe est amorcée pour mettre en relief ce qui étonne les enfants dans la forme orthographique du message. En fonction du niveau scolaire des enfants, cette discussion peut permettre d'introduire différentes notions comme la ponctuation, les lettres muettes, les temps des verbes, la structure textuelle des messages, etc. Ainsi, les élèves ont la possibilité de pousser leur réflexion sur d'autres aspects de la langue écrite.

L'intégration

Le transfert et le réinvestissement

Puisque les élèves écrivent une partie d'un message et que leur attention est portée sur la structure textuelle des messages, il peut être pertinent de les inciter par la suite à écrire des messages intégralement, notamment en utilisant le courrier électronique (courriel).

Des suggestions d'activités de ritualisation

Le message du matin est une activité qui s'insère bien dans la routine quotidienne. La ritualisation des situations d'écriture peut s'avérer très profitable pour les élèves. En effet, si ces derniers connaissent le contexte, l'activité nécessitera moins de temps de préparation et les élèves comprendront immédiatement la tâche à réaliser.

Pour les élèves plus âgés, il est possible de ritualiser des pratiques d'orthographes approchées. La phrase du jour et le mot du calendrier sont des situations d'écriture que les élèves apprécient particulièrement.

La phrase du jour

Chaque matin, lors de l'arrivée en classe, un des élèves est invité à écrire une phrase au tableau. À la suite de l'écriture, l'enseignant le questionne sur ses choix orthographiques et les stratégies qu'il a utilisées pour écrire la phrase. Lorsque l'élève scripteur a terminé ses explications, l'enseignant demande aux élèves de la classe de lire la phrase et de déterminer s'il est possible de l'améliorer. Dans un travail collectif, ils retravaillent la phrase afin de la rendre conforme à la norme. Cette activité peut être réalisée quotidiennement et tous les élèves, à tour de rôle, doivent réaliser ce travail d'écriture individuel. Afin de rendre l'activité plus complexe à mesure que l'année avance, l'enseignant peut ajouter des contraintes. Par exemple, la phrase doit contenir un verbe au futur, un nom au pluriel, un pronom au pluriel ou un participe passé.

Le calendrier du jour

Pour réaliser cette activité, le livre *365 mots drôlement illustrés* peut être utile (un calendrier de mots fabriqué personnellement peut également convenir). Le livre a la forme d'un calendrier. Chaque jour de l'année, un mot est présenté, accompagné de sa définition et d'une image. Pour réaliser la situation d'écriture, l'enseignant lit le mot aux élèves et leur donne la définition. Par la suite, il invite les élèves à essayer d'écrire individuellement le mot en s'aidant de la définition et de leurs connaissances sur le système alphabétique. Lorsque tous les élèves ont terminé l'écriture du mot, l'enseignant tire au hasard le nom de cinq élèves et leur demande d'écrire leur proposition d'écriture individuelle au tableau. Dans un travail collectif, ils observent les ressemblances et des différences entre les cinq propositions d'écriture. Ensuite, l'enseignant invite les élèves à chercher la norme orthographique dans le dictionnaire et demande à un élève de l'écrire au tableau. Enfin, ils comparent le mot normé aux propositions initiales et observent s'ils se sont approchés de la norme orthographique.

Activité 7

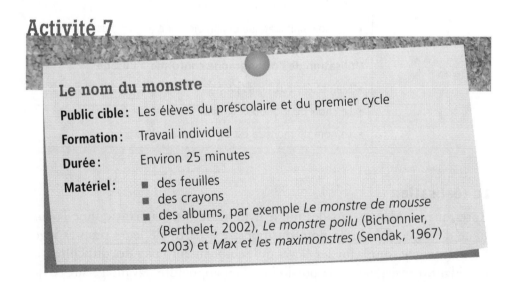

Le nom du monstre

Public cible : Les élèves du préscolaire et du premier cycle

Formation : Travail individuel

Durée : Environ 25 minutes

Matériel :
- des feuilles
- des crayons
- des albums, par exemple *Le monstre de mousse* (Berthelet, 2002), *Le monstre poilu* (Bichonnier, 2003) et *Max et les maximonstres* (Sendak, 1967)

Le déroulement

La préparation

Les arts plastiques s'avèrent une bonne porte d'entrée pour aborder les orthographes approchées. Après avoir lu divers albums dans lesquels on trouve un monstre comme personnage, les enfants sont amenés à observer les illustrations de monstres et à créer leur propre monstre. La création de ce monstre peut être réalisée en recourant à une technique inspirée de celle dont se servent les illustrateurs des albums lus. Ensuite, l'enseignant propose aux élèves de donner un nom à leur monstre et d'essayer d'écrire ce nom. Ce contexte significatif permet aux élèves de solliciter leur imagination artistique et orthographique.

Dans cette activité, l'enseignant :

- donne l'occasion aux élèves d'essayer de trouver comment s'écrit un mot ;
- propose des activités qui permettent aux élèves d'établir le lien entre les sons du langage et les lettres de l'alphabet ;
- apprend aux élèves que les noms propres commencent par une majuscule ;
- propose des activités qui permettent aux élèves d'établir des relations entre un texte et les images qui l'illustrent.

Les liens avec le programme de formation sont présentés dans le tableau 4.7.

Tableau 4.7 Liens avec le programme de formation (MEQ, 2001)

Classe	Compétences	Savoirs essentiels
Préscolaire	Établir des liens entre l'oral et l'écrit et reconnaître l'utilité de l'écrit	• La reconnaissance de quelques lettres de l'alphabet • La reconnaissance de l'écrit dans l'environnement
Premier cycle	**Compétence 1 :** Lire des textes variés **Compétence 2 :** Écrire des textes variés **Compétence 4 :** Apprécier des œuvres littéraires	**Exploration et utilisation du vocabulaire en contexte** • Noms des lettres de l'alphabet • Principe alphabétique et combinatoire (règles d'assemblage des relations lettres/sons) **Utilisation de l'orthographe conforme à l'usage** • Majuscules aux noms propres • Le choix du mot ou de la phrase • Le nom du monstre est au choix de l'élève

La réalisation

Après que les enfants ont dessiné leur monstre, l'enseignant donne la consigne d'essayer d'écrire le nom du monstre à partir de leurs propres idées. L'enseignant accompagne les élèves qui semblent éprouver des difficultés. En les aidant, l'enseignant a la possibilité d'en apprendre davantage sur ce que les enfants ont déjà construit en ce qui a trait au système alphabétique.

Le retour individuel

L'enfant vient montrer son monstre et l'écriture du nom qu'il lui a donné à l'enseignant. Celui-ci le questionne afin d'actualiser ses représentations orthographiques.

Voici des questions que l'enseignant peut poser :

- *Peux-tu me dire ce que tu as écrit en me le montrant en même temps avec ton doigt ?*
- *Qu'est-ce qui t'a fait penser à utiliser ces lettres-là ?*

Le retour collectif

Sur une base volontaire, les élèves sont invités à présenter leur monstre (le dessin et l'écriture du nom) aux autres élèves de la classe. L'enseignant en profite pour questionner l'élève sur le nom et le son des lettres. Ce retour permet aussi d'apprendre l'alphabet.

La norme orthographique

L'enseignant fournit la norme orthographique aux élèves si cela est nécessaire. L'introduction de la norme peut être l'occasion de mettre en relief le fait que l'orthographe des noms propres est variable et qu'ils doivent toujours commencer par une lettre majuscule.

Le prolongement de l'activité

Comme dans un musée, les illustrations de monstres peuvent être affichées dans la classe avec une étiquette précisant son nom et celui de l'auteur du dessin. Cette exposition prend alors l'allure d'un vrai musée où des artistes présentent leurs chefs-d'œuvre.

L'intégration

Le transfert et le réinvestissement

À partir des noms de monstres, l'enseignant réalise une activité sur les rimes. Dans un premier temps, il explique aux enfants ce qu'est une rime. Dans un deuxième temps, il invite les élèves à trouver un mot qui rime avec le nom de leur monstre (par exemple, *Dégueu* avec *jeu*, *Méchant* avec *géant*, *Grougrou* avec *loup*, etc.).

Activité 8

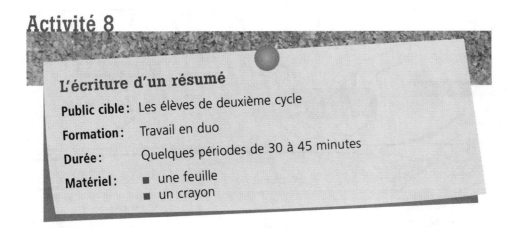

L'écriture d'un résumé

Public cible : Les élèves de deuxième cycle

Formation : Travail en duo

Durée : Quelques périodes de 30 à 45 minutes

Matériel : ■ une feuille
■ un crayon

Le déroulement

La préparation

Pour réaliser cette activité, l'enseignant doit d'abord enseigner aux élèves à rédiger un résumé. Voici quelques conseils pour la production d'un résumé[4].

---

4. GIASSON, J. (2003). *La lecture. De la théorie à la pratique,* Montréal, Gaëtan Morin Éditeur. Cet ouvrage permettra à l'enseignant d'aider ses élèves à produire de bons résumés.

1. Utilisez vos propres mots.

2. Ne mentionnez pas de détails inutiles.

3. Évitez les énumérations ; exprimez-les en un seul mot.

4. Utilisez la phrase qui donne l'idée principale, mais dites-la dans vos mots ou créez votre propre phrase.

5. Ne répétez pas des idées inutilement.

Par exemple, dans le cadre d'une activité en sciences sur l'organisation du vivant, l'enseignant explique aux élèves le cycle de l'eau. À partir de l'image suivante, il enseigne les différentes phases qui composent le cycle de l'eau. Cette activité sert d'introduction à la situation d'orthographes approchées : l'écriture d'un résumé.

Dans cette activité, l'enseignant :

- permet aux élèves de comprendre le cycle de l'eau ;

- donne l'occasion à ses élèves d'essayer de trouver comment s'écrit une phrase ;

- réalise des activités où ses élèves sont amenés à travailler l'accord sujet-verbe dans la phrase ;
- propose des activités qui amènent ses élèves à travailler le résumé ;
- permet aux élèves d'écrire un texte informatif.

Les liens avec le programme de formation sont présentés dans le tableau 4.8.

Tableau 4.8 Liens avec le programme de formation (MEQ, 2001)

Classe	Compétences	Savoirs essentiels
Deuxième cycle	Compétence 2 : Écrire des textes variés	Reconnaissance et utilisation des groupes qui constituent la phrase • Groupe sujet, groupe verbe Accords dans la phrase • Sujet-verbe (accord du verbe en nombre et en personne avec son pronom sujet ou son groupe sujet transformé en pronom). • Marques de la conjugaison des verbes inclus dans les mots fréquents, aux modes et aux temps utilisés à l'écrit (présent)

Le choix des phrases

Les élèves doivent composer un texte qui résume le cycle de l'eau.

La réalisation

À la suite d'un travail collectif sur l'écriture d'un résumé, les élèves sont invités à rédiger un résumé d'une dizaine de lignes sur le cycle de l'eau. L'enseignant ne fournit pas d'information concernant le temps des verbes qu'ils doivent employer. En duo, les élèves sont invités à utiliser et à partager leurs connaissances antérieures et leurs stratégies afin de produire un bon résumé. Dans ce contexte rédactionnel, ils doivent accorder une attention particulière à l'accord sujet-verbe dans la phrase. Ils discutent des stratégies qu'ils utilisent pour bien accorder le sujet et le verbe. Durant la situation d'écriture, l'enseignant circule et demeure à l'écoute des préoccupations des élèves en ce qui a trait à la langue écrite. Il questionne aussi les élèves à partir des discussions soulevées dans les équipes.

La norme orthographique

L'enseignant demande aux élèves de réfléchir et de mettre en commun les ouvrages de référence (par exemple, dictionnaires, livres informatifs) qui peuvent être pertinents pour chercher la norme orthographique des mots et conjuguer des verbes (par exemple, *L'Art de conjuguer* dans la collection Bescherelle). L'enseignant ramasse les feuilles de travail des élèves et les corrige en portant une attention particulière aux accords sujet-verbe et aux renseignements importants à insérer dans le résumé concernant le cycle de l'eau.

Le retour collectif

Lors du retour collectif, l'enseignant amène les élèves à réfléchir aux avantages et aux inconvénients d'un résumé. Ensuite, l'enseignant demande à quelques équipes de lire leur résumé et d'expliquer les difficultés auxquelles ils ont fait face durant la production de celui-ci. Il amène les élèves à constater que l'écriture de résumé au présent peut être plus facile à écrire et à lire. Il invite les élèves qui n'ont pas écrit leur résumé au présent à le faire. Les équipes qui l'avaient déjà écrit au présent échangent leur résumé avec une autre équipe pour une deuxième révision orthographique.

L'intégration

Le transfert et le réinvestissement

L'enseignant choisit au hasard un texte sur le cycle de l'eau et le transcrit textuellement au tableau. Dans un travail collectif, les élèves corrigent le texte en mentionnant leurs stratégies d'écriture, principalement en ce qui concerne l'accord sujet-verbe. Cette activité de transfert permet à l'enseignant de situer le niveau de compétence des élèves concernant l'accord sujet-verbe, la rédaction d'un résumé ainsi que la connaissance du cycle de l'eau.

Activité 9

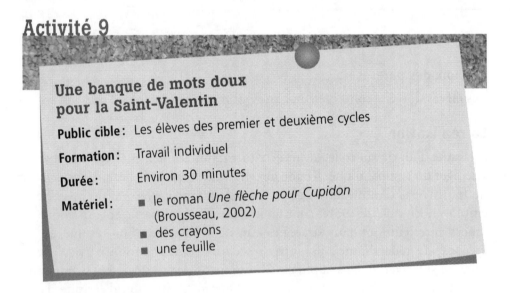

Une banque de mots doux pour la Saint-Valentin

Public cible : Les élèves des premier et deuxième cycles

Formation : Travail individuel

Durée : Environ 30 minutes

Matériel :
- le roman *Une flèche pour Cupidon* (Brousseau, 2002)
- des crayons
- une feuille

Le déroulement

La préparation

À l'occasion de la Saint-Valentin, l'enseignant fait la lecture à ses élèves du roman *Une flèche pour Cupidon*. Dans cette histoire, Cupidon n'est plus capable de lancer des flèches d'amour. Il rencontre différents spécialistes afin de régler son problème. Un des spécialistes annonce à Cupidon qu'il a perdu ses moyens, car il est amoureux. À la fin du roman, Cupidon déclare son amour, sous forme de poème, à sa dulcinée et il reprend possession de tous ses moyens. Par la suite, l'enseignant propose aux élèves de trouver d'autres mots doux que Cupidon aurait pu écrire à son amoureuse.

Dans cette activité, l'enseignant :

- donne l'occasion aux élèves d'essayer de trouver comment s'écrivent des mots ;
- réalise des activités où ses élèves sont amenés à mémoriser des mots ;
- propose des activités qui permettent aux élèves d'acquérir du vocabulaire (réseau sémantique).

Les liens avec le programme de formation sont présentés dans le tableau 4.9.

Tableau 4.9 Liens avec le programme de formation (MEQ, 2001)

Classe	Compétences	Savoirs essentiels
Premier cycle	**Compétence 1 :** Lire des textes variés **Compétence 2 :** Écrire des textes variés	**Exploration et utilisation du vocabulaire en contexte** • Noms des lettres de l'alphabet et des signes orthographiques • Vocabulaire visuel constitué de mots fréquents et utiles • Principe alphabétique et combinatoire (règles d'assemblage des relations lettres/sons)

Deuxième cycle	**Compétence 1 :** Lire des textes variés
	
	Compétence 2 : Écrire des textes variés
		Exploration et utilisation du vocabulaire en contexte
		• Vocabulaire visuel constitué de mots fréquents et utiles
		• Formation des mots (base, préfixe, suffixe)
		• Termes liés à la construction des concepts grammaticaux et pouvant être utilisés en situation de travail sur la langue
		  – Nom (commun, propre), déterminant
		  – Pronom, verbe, adjectif

Le choix des mots

Pour le premier cycle, les élèves choisissent le mot qu'ils aimeraient écrire, posent leur hypothèse d'écriture et tentent de l'écrire individuellement.

Pour le deuxième cycle, les élèves choisissent également un mot qu'ils aimeraient écrire, et l'enseignant leur demande d'essayer d'écrire, par exemple, les mots *tendresse, tendre* et *tendrement* afin de travailler sur les familles de mots.

La réalisation

Dans un travail collectif, l'enseignant organise un remue-méninges avec les enfants en les invitant à proposer différents mots doux (*amour, bisou, tendresse,* etc.). Chacun doit se choisir un mot doux et essayer de l'écrire seul. Pour les élèves de deuxième cycle, ce travail peut être l'occasion d'explorer et de préciser de quelle nature sont les mots *tendresse, tendre* et *tendrement*. Durant la situation d'écriture, l'enseignant circule et soutient certains élèves qui éprouvent des difficultés.

Le retour individuel

Pour le mot choisi individuellement, l'élève vient montrer son mot doux à l'enseignant et celui-ci le questionne afin d'actualiser ses représentations orthographiques. Le retour individuel permet à l'enseignant de recueillir de l'information sur les connaissances orthographiques des élèves.

La norme orthographique

L'enseignant demande aux enfants de trouver la norme orthographique dans le dictionnaire et à chacun de venir valider sa réponse. Lorsque l'enfant trouve la norme, il va l'écrire au tableau afin de composer la banque de mots doux. Ensuite, l'enseignant questionne quelques élèves sur les stratégies d'écriture qu'ils ont utilisées. Ce temps de discussion permet aux élèves d'échanger des stratégies et d'en apprendre de nouvelles.

Le retour collectif

Pour les élèves de deuxième cycle, l'enseignant réalise un retour collectif sur les trois mots contenant le même radical. Il invite trois élèves à écrire au tableau les mots *tendresse, tendre* et *tendrement,* puis à préciser leur nature. Ce retour avec les élèves de deuxième cycle permet à l'enseignant de vérifier s'ils sont capables de différencier la nature de différents mots de la même famille.

L'intégration

Le transfert et le réinvestissement

L'enseignant propose aux élèves d'écrire un message d'amitié à un ami ou un message d'amour à un membre de leur famille en utilisant des mots de la banque de mots doux. Ce message peut être écrit sous forme de lettre, de carte ou de poème.

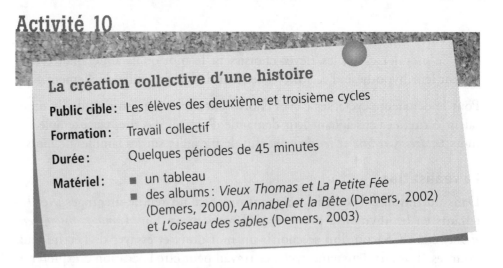

Activité 10

La création collective d'une histoire

Public cible : Les élèves des deuxième et troisième cycles

Formation : Travail collectif

Durée : Quelques périodes de 45 minutes

Matériel :
- un tableau
- des albums : *Vieux Thomas et La Petite Fée* (Demers, 2000), *Annabel et la Bête* (Demers, 2002) et *L'oiseau des sables* (Demers, 2003)

Le déroulement

La préparation

Après avoir travaillé le récit en cinq temps (la situation de départ, l'élément déclencheur, les péripéties, le dénouement et la situation finale) et avoir fait la lecture d'albums présentant ce schéma narratif, l'enseignant amène les élèves à composer collectivement une histoire pour les jeunes du préscolaire et du premier cycle.

Dans cette activité, l'enseignant invite ses élèves à :

- dégager la structure du récit et créer un récit en cinq temps ;
- établir des relations entre liere et écrire ;
- travailler la ponctuation (le point, le point d'exclamation, le point d'interrogation et la virgule) ;
- travailler l'accord sujet-verbe ;
- travailler sur la cohérence entre les différents énoncés.

Les liens avec le programme de formation sont présentés dans le tableau 4.10.

Tableau 4.10 Liens avec le programme de formation (MEQ, 2001)

Classe	Compétences	Savoirs essentiels
Deuxième cycle	**Compétence 1 :** Lire des textes variés **Compétence 2 :** Écrire des textes variés **Compétence 4 :** Apprécier des œuvres littéraires	**Exploration de quelques éléments littéraires à des fins d'utilisation ou d'appréciation** • Personnage • Temps et lieux du récit • Séquence des événements **Exploration et utilisation de la structure des textes** • Récit en cinq temps **Recours à la ponctuation** • Point • Point d'interrogation, point d'exclamation • Virgule **Accords dans la phrase** • Sujet-verbe • Pour des mots fréquents, marque de la conjugaison des verbes aux modes et aux temps utilisés à l'écrit : tous les temps
Troisième cycle	**Compétence 1 :** Lire des textes variés **Compétence 2 :** Écrire des textes variés	**Exploration de quelques éléments littéraires à des fins d'utilisation ou d'appréciation** • Personnage • Temps et lieux du récit • Séquence des événements **Exploration et utilisation de la structure des textes** • Récit en cinq temps **Recours à la ponctuation** • Point • Point d'interrogation, point d'exclamation • Virgule **Accords dans la phrase** • Sujet-verbe • Pour les mots fréquents, marque de la conjugaison des verbes aux modes et aux temps utilisés à l'écrit : tous les temps

La réalisation

La réalisation de cette activité se déroule en deux temps. Durant la première période de travail, avec les élèves, l'enseignant réalise le schéma du récit au tableau en prenant soin de définir le ou les personnages, ses ou leurs caractéristiques physiques et psychologiques, le lieu, le temps, etc., et les idées générales pour chacun des temps du récit. Au besoin, l'enseignant invite les élèves à se référer aux albums lus pour modéliser l'élaboration du récit.

Durant la deuxième période de travail, l'enseignant et les élèves relisent leur schéma du récit. Ensuite, l'enseignant demande aux élèves de lui soumettre des idées pour l'écriture de l'histoire. À mesure que la composition progresse, il demande aux élèves comment certains mots ou certaines phrases s'écrivent. À l'oral, les élèves lui dictent l'orthographe des mots. L'enseignant les écrit comme les enfants les dictent, et ce, même si l'orthographe n'est pas conforme à la norme.

Le retour collectif

Le retour se déroule durant une troisième période. L'enseignant invite les élèves à relire l'histoire. Ensemble, ils regardent si les cinq temps du récit sont présents, et si l'histoire est cohérente. En groupe-classe, l'enseignant amène les élèves à faire ressortir les points forts et les points faibles de l'histoire en établissant la comparaison avec les albums lus précédemment. De plus, il les incite à trouver ensemble tous les verbes du texte. Après que les élèves les ont encerclés, l'enseignant leur demande de porter une attention particulière à l'accord sujet-verbe.

Le retour collectif sur la norme orthographique

Sur une base volontaire, l'enseignant demande aux élèves de mentionner les correctifs orthographiques qu'ils ont apportés à l'histoire et de justifier les stratégies d'écriture utilisées. L'enseignant amène les élèves à observer les différences entre leurs propositions initiales et la norme orthographique. Il fait ressortir les connaissances que les élèves maîtrisent bien et suggère des stratégies pour les notions orthographiques moins bien comprises des élèves.

Le prolongement de l'activité

Les élèves sont invités à copier l'histoire dans un petit livre et à l'illustrer. De plus, ils vont lire l'histoire à des élèves du préscolaire et du premier cycle.

L'intégration

Le transfert et le réinvestissement

L'enseignant présente aux élèves le livre *Les Mystères de Harris Burdick* (Van, 1994). Ce livre est composé d'images, chacune étant accompagnée d'un titre et d'une phrase qui commencent l'histoire inachevée. Les élèves choisissent une image et complètent individuellement l'histoire en prenant soin de réinvestir les savoirs essentiels travaillés durant la création collective de l'histoire en orthographes approchées.

Activité 11

Le contexte

À partir d'un bac où sont réunis des objets récupérés, l'enseignant invite les élèves de la classe à créer une sculpture. Cette situation d'apprentissage s'inscrit dans le domaine général de formation qui concerne l'environnement et la consommation. Elle cible en particulier l'axe « présence à son milieu (trouver des moyens pour améliorer son milieu de vie) ».

Les compétences visées et les critères d'évaluation sont décrits dans le tableau 4.11.

Tableau 4.11 Compétences et critères d'évaluation (MEQ, 2001)

Compétences	Critères d'évaluation
Compétence 5 : Construire sa compréhension du monde	• Manifestation d'intérêt, de curiosité, de désir d'apprendre • Expérimentation de différents moyens d'exercer sa pensée • Utilisation de l'information pertinente à la réalisation d'un apprentissage • Description de la démarche et des stratégies utilisées dans la réalisation de la démarche
Compétence 4 : Communiquer en utilisant les ressources de la langue	• Intérêt pour la communication • Production de message

---

5. La présentation des activités 11 et 12 diffère un peu, car elles ont été élaborées par l'équipe de recherche-action sur l'émergence de l'écrit (responsables : Marie-France Choinière et Lise Dubois, conseillères pédagogiques), qui est associée au sous-comité du préscolaire en Montérégie, 2003-2004.

Les moyens d'évaluation (traces à conserver) sont :

■ une photo de la sculpture ;

■ un recueil de questions ou de commentaires sur le déroulement de l'activité dans un journal de bord, par exemple « Ce que j'ai fait aujourd'hui » ou « Ce que j'ai appris aujourd'hui ».

Les critères d'évaluation peuvent être basés sur les actions suivantes :

■ apporter des objets récupérés de la maison ;

■ manipuler des objets pour éventuellement les transformer ;

■ réaliser le plan de la sculpture ;

■ classer des objets selon certains critères ;

■ expliquer les moyens et les outils utilisés pour réaliser la sculpture.

Les savoirs essentiels (stratégies et connaissances)

Les stratégies cognitives et métacognitives :

Observer, explorer, expérimenter, organiser, planifier, classifier et classer, comparer, sélectionner, produire des idées nouvelles, questionner et s'interroger, anticiper, vérifier, évaluer.

Les connaissances se rapportant au développement cognitif :

■ Les arts plastiques : sculpture ;

■ Les mathématiques : regroupement et classement.

Le déroulement

La préparation

La situation de départ (le déclencheur) comprend les éléments suivants :

■ Lire le livre *Recette d'éléphant à la sauce vieux pneu.*

■ Mentionner la problématique.

■ Énumérer les critères d'évaluation.

■ Demander aux enfants de nommer les objets utilisés pour illustrer le livre.

■ Mettre en place le journal de bord.

■ Présenter l'artiste Miró et quelques-unes de ses œuvres. Faire nommer les objets que l'artiste utilise. Faire ressortir les caractéristiques des œuvres de Miró (par exemple la couleur, les formes juxtaposées, etc.).

■ Sensibiliser les enfants à l'environnement.

- Leur demander: *Qu'arriverait-il aux objets si l'artiste ne les avait pas utilisés?*

- Proposer aux enfants d'apporter des objets réutilisables pour réaliser leur sculpture. Leur demander de les classer, puis de nommer leurs critères de classification.

- Permettre aux enfants de s'approprier les objets en leur offrant des temps de manipulation. Ces périodes sont essentielles pour aider les enfants à percevoir comment les différents objets seront intégrés à leur sculpture.

La réalisation

En duo ou en trio:

- Dessiner un croquis de la sculpture sur lequel on trouve au moins deux idées par enfant.

- Réaliser la sculpture à l'aide de la technique du papier mâché; intégrer les objets; colorer avec de la gouache.

- Tous les jours, offrir un temps d'arrêt pour trouver des solutions aux problèmes qui se sont posés.

- Tous les jours, actualiser le journal de bord.

- Réaliser des affiches pour inviter les autres classes à venir visiter le musée de sculptures.

- Donner un titre à l'œuvre.

- Leur demander: *Quel message allons-nous écrire sur l'affiche?*

L'intégration

- Visiter un musée de sculptures et demander aux enfants de relever quelques éléments qui les caractérisent.

- Inviter un sculpteur.

- En duo, un enfant transforme son partenaire en sculpture (statue).

Activité 12

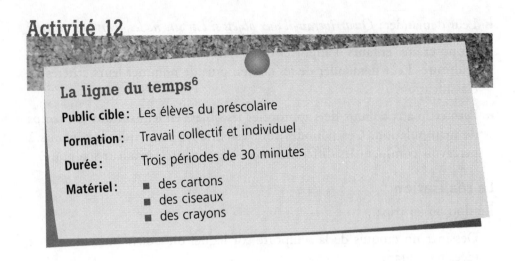

La ligne du temps[6]

Public cible : Les élèves du préscolaire

Formation : Travail collectif et individuel

Durée : Trois périodes de 30 minutes

Matériel :
- des cartons
- des ciseaux
- des crayons

Le contexte

Dans cette activité, l'enseignant travaille précisément le domaine général de formation en relation avec les médias. Ainsi, il tente de « sensibiliser les enfants à un outil qui représente le passé, le présent et même aujourd'hui ».

Les compétences et les critères d'évaluation sont présentés dans le tableau 4.12.

Tableau 4.12 Compétences et critères d'évaluation (MEQ, 2001)

Compétences	Critères d'évaluation
Compétence 2 : Affirmer sa personnalité	• Expression de ses goûts, de ses intérêts et de ses idées d'une façon pertinente
Compétence 4 : Communiquer en utilisant les ressources de la langue	• Manifestation de compréhension du message • Production de message
Compétence 5 : Construire sa compréhension du monde	• Manifestation d'intérêt, de curiosité, de désir d'apprendre • Utilisation de l'information pertinente à la réalisation d'un apprentissage • Description de la démarche et des stratégies utilisées dans la réalisation d'un apprentissage

Le déroulement

La préparation

L'enseignant décrit la problématique aux enfants. Celle-ci porte sur l'observation de différentes lignes du temps que les enfants ont apportées ou trouvées en classe. L'enseignant demande de nommer les éléments connus (les périodes, les personnages, les activités). Les élèves comparent les lignes du temps et font ressortir les ressemblances et les différences.

---

6. *Idem.*

La réalisation

L'enseignant forme des équipes pour réaliser une ligne du temps qui représente les activités et les projets vécus en classe, par exemple sur des sujets tels que les dinosaures, la vie de château ou la vie de personnages célèbres. Il permet aux enfants de discuter sur les moyens de trouver et de produire les illustrations qui identifieront les projets devant être représentés sur la ligne du temps. Ensuite, l'enseignant demande aux élèves de mettre en commun les idées nouvelles. Il invite les enfants à produire une ligne du temps qui illustre la vie des gens autrefois. Réunis en trios, les enfants identifient les époques (par exemple la Préhistoire, le big-bang, le Moyen Âge), les personnages (par exemple, Picasso, Mozart) selon l'approche des orthographes approchées.

L'intégration

- Afficher les lignes du temps, les lire et les comparer afin de choisir celles qui présentent les référentiels les plus complets.

- Demander aux enfants de justifier leurs choix.

- Inviter les enfants à présenter leur réalisation à leurs parents pour faire connaître leur vie de classe.

- Leur proposer de construire une ligne du temps illustrant des événements de leur vie qui sont les plus signifiants pour eux, par exemple « Ta vie », « Ta naissance... jusqu'à aujourd'hui ».

- Les inviter à présenter leur ligne du temps à leurs pairs.

Sur une même ligne du temps, on peut trouver des périodes, des personnages et leurs activités.

Activité 3

Comment je suis devenu pirate

Dessine l'endroit où tu penses que le trésor est caché.

Les pirates et Jérémie ont caché le trésor...

_____

_____

Bibliographie

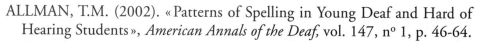

ALLMAN, T.M. (2002). « Patterns of Spelling in Young Deaf and Hard of Hearing Students », *American Annals of the Deaf,* vol. 147, n° 1, p. 46-64.

ARAUJO, L. (2002). « The Literacy Development of Kindergarten English-Language Learners », *Journal of Research in Childhood Education,* vol. 16, n° 2, p. 232-247.

BACHELARD, G. (1927). *Essai sur la connaissance approchée,* Paris, Vrin.

BERNINGER, V.W. (1994). *Reading and Writing Acquisition. A Developmental Neuropsychological Perspective,* Madison, Wisconsin, Brown et Benchmark's.

BERNINGER, V.W. et H.L. SWANSON (1994). « Modifying Hayes and Flower's Model of Skilled Writing to Explain Beginning and Developing Writing », dans E. C. Butterfield (éd.), *Children's Writing, Toward a Process Theory of the Development of Skilled Writing,* Hampton Hill, Middlesex, England, JAI Press, p. 57-81.

BESSE, J.M. (1995). *L'écrit, l'école et l'illettrisme,* Paris, Magnard.

BESSE, J.M. et l'ACLE (2000). *Regarde comme j'écris !,* Paris, Magnard.

BLANCHE-BENVENISTE, C. et A. CHERVEL (1974). *L'orthographe,* Paris, François Maspero.

BOISCLAIR, A. et P. SIROIS (2000). « L'émergence de la lecture et de l'écriture chez l'élève sourd », *Vivre le primaire,* vol. 13, n° 2, p. 34-38.

BRASACCHIO, T., B. KUHN et S. MARTIN (2001). *How Does Encouragement of Invented Spelling Influence Conventional Spelling Development,* ERIC document numéro ED 452 546.

BRITISH SPECIAL EDUCATION CONFERENCE (2002). « Is There a Right Way To Hold a Pencil – and Does It Matter ? », *British Journal of Special Education,* vol. 29, n° 1, p. 49.

CATACH, N. (1995). *L'orthographe française,* 3e édition, Paris, Nathan.

CENTER, Y., L. FREEMAN et G. ROBERTSON (1998). « An Evaluation of Schoolwide Early Language and Literacy » (SWELL), dans *Six Disadvantaged Schools, International Journal of Disability, Development and Education,* vol. 45, n° 2, p. 143-172.

CHAPMAN, M.L. et M. MICHAELSON (1998). « Grade Two Children's Emergent Writing in English and Hebrew in a Dual Curriculum », *Canadian Journal of Research in Early Childhood Education,* vol. 7, n° 2, p. 127-145.

CHAUVEAU, G. (2003). *Comprendre l'enfant apprenti lecteur,* Paris, Retz.

CHAUVEAU, G. (1997). *Comment l'enfant devient lecteur,* Paris, Retz.

CHOMSKY, C. (1979). « Approaching Reading Through Invented Spelling », dans P. Weaver et L.B. Resnick (éd.), *The Theory and Practice of Early Reading,* Hillsdale, New Jersey, Lawrence Erlbaum Associates, vol. 2, p. 43-65.

CHOMSKY, C. (1971). « Write First, Read Later », *Childhood Education*, nº 47, p. 296-300.

CLARKE, L.K. (1988). « Invented Versus Traditional Spelling in First Graders'Writings : Effects on Learning to Spell and Read », *Research in the Teaching of English*, nº 22, p. 281-309.

CUNNINGHAM, P.M. et J.W. CUNNINGHAM (1992). « Making Words : Enhancing the Invented Spelling-Decoding Connection », *The Reading Teacher*, vol. 46, nº 2, p. 106-115.

De GAULMYN, M.-M. (1992). « La construction précoce du système de la langue française écrite par des enfants de grande section maternelle », *Les dossiers de l'éducation*, nº 8, p. 45-70.

De la PAZ, S. et S. GRAHAM (1995). « Dictation : Applications to Writing for Students with Learning Disabilities », dans T. Scruggs et M. Mastropieri (éd.), *Advances in Learning and Behavioural Disorders*, Greenwich, Connecticut, JAI Press, vol. 9, p. 227-247.

DESGAGNÉ, S. et collab. (2001). « L'approche collaborative de recherche en éducation : un nouveau rapport à établir entre recherche et formation », *Revue des sciences de l'éducation*, vol. 27, nº 1, p. 33-64.

DUVALL, B. (1985). « Evaluating the Difficulty of Four Handwriting Styles Used for Instruction », *Spectrum*, vol. 3, nº 3, p. 13-20.

ÉCALLE, J. et A. MAGNAN (2002). *L'apprentissage de la lecture. Fonctionnement et développement cognitifs*, Paris, Armand Colin.

EDIGER, M. (2002). « Assessing Handwriting Achievement », *Reading Improvement*, vol. 39, nº 3, 103 p.

EHRI, L.C. (1986). « Sources of Difficulty in Learning to Spell and Read », dans M.L. Wolraich et D. Routh (éd.), *Advances in Developmental and Behavioral Pediatrics*, Greenwich, JAI Press, vol. 7, p. 121-195.

EHRI, L. et L. WILCE (1987). « Does Learning to Spell Help Beginners Learn to Read Words ? », *Reading Research Quarterly*, nº 22, p. 47-65.

FERREIRO, E. (1984). « The underlying logic of literacy development », dans H. GOELMAN et collab. (éd.), *Awakening to Literacy*, Exeter, Heinemann, p. 154-173.

FERREIRO, E. (1980). « The relationship between oral and written language : The children's viewpoints », dans Y. GOODMAN et collab. (éd.), *Oral and written language development research : Impact on the schools*, Newark, International Reading Association and National Council of Teachers of English.

FERREIRO, E. et M. GOMEZ-PALACIO (1988). *Lire-écrire à l'école, comment s'y prennent-ils ?*, Lyon, Centre régional de documentation pédagogique.

FERREIRO, E. et A. TEBEROSKY (1982). *Literacy Before Schooling*, Exeter, New Hampshire, Heinemann.

FIJALKOW, J. et É. FIJALKOW (1993). « L'écriture provisoire des enfants au cycle des apprentissages : Étude génétique », dans G. Boudreau (éd.), *Réussir dès l'entrée dans l'écrit*, Sherbrooke, Éditions du CRP, p. 103-134.

FRITH, U. (1985). «Unexpected Spelling Problems», dans U. Frith (éd.), *Cognitive Processes in Spelling,* London, Academic Press, p. 495-516.

FROST, J. (2001). «Phonemic Awareness, Spontaneous Writing, and Reading and Spelling Development from a Preventive Perspective», *Reading and Writing,* vol. 14, n°s 5-6, p. 487-513.

GENTRY, J.R. (1982). «An Analysis of Developmental Spelling», dans GNYS AT WRK, *The Reading Teacher,* n° 36, p. 192-200.

GETTINGER, M. (1993). «Effects of Invented Spelling and Direct Instruction on Spelling Performance of Second-Grade Boys», *Journal of Applied Behavior Analysis,* vol. 26, n° 3, p. 281-291.

GIASSON, J. (2003). *La lecture. De la théorie à la pratique,* Montréal, Gaëtan Morin Éditeur.

GILL, T. (1992). «The relationsip between word recognition and spelling», dans S. TEMPLETON et D. BEAR (éd.), *Development of orthographic knowledge and the foundations of literacy: A memorial Festschrift for Edmund H. Henderson,* Hillsdale, Erlbaum, p. 79-104.

GOSWAMI, U. (2002). «Early Phonological Development and the Acquisition of Literacy», dans S.B. Neuman et D.K. Dickinson (éd.), *Handbook of Early Literacy Research,* New York, The Guilford Press, p. 111-125.

GRAHAM, S. et collab. (1997). «Role of Mechanics in Composing of Elementary School Students: A New Methodological Approach», *Journal of Educational Psychology,* vol. 89, n° 1, p. 170-182.

GRAHAM, S., V.W. BERNINGER et N. WEINTRAUB (1998). «The Relationship Between Handwriting Style and Speed and Legibility», *The Journal of Educational Research,* vol. 91, n° 5, p. 290-297.

GRAHAM, S. et N. WEINTRAUB (1996). «A Review of Handwriting Research: Progress and Prospects from 1980 to 1993», *Educational Psychology Review,* n° 8, p. 7-87.

GRIFFITH, P.L. (1991). «Phonemic Awareness Helps First Graders Invent Spellings and Third Graders Remember Correct Spellings», *Journal of Reading Behaviour,* vol. 23, n° 2, p. 215-233.

HENDERSON, E. (1985). *Teaching Spelling,* Boston, Houghton Mifflin.

HUXFORD, L., C. TERRELL et L. BRADLEY (1992). «"Invented" Spelling and Learning to Read», dans C. Sterling et C. Robson (éd.), *Psychology, Spelling and Education,* Clevedon, England, Multilingual Matters, p.159-167.

INTERNATIONAL READING ASSOCIATION (1998). «Learning to read and write: Developmentally appropriate practices for young children», *The Reading Teacher,* vol. 52, p. 193-214.

INVERNIZZI, M. (1994). «Using Students' Invented Spellings as a Guide for Spelling Instruction that Emphasizes Word Study», *Elementary School Journal,* vol. 95, n° 2, p. 155-167.

JAFFRÉ, J.-P. (2004). «La litéracie: histoire d'un mot, effets d'un concept», dans C. BARRÉ DE MINIAC et collab. (éd.), *La litéracie: conceptions théoriques et pratiques d'enseignement de la lecture écriture*, Paris, Harmattan, p. 21-41.

JAFFRÉ, J.-P. (1998). «Procédures métagraphiques et acquisition de l'écrit», dans J. Dolz et J.C. Meyer (dir.), *Activités métalangagières et enseignement du français*, Berlin, Peter Lang, p. 47-62.

JAFFRÉ, J.-P. (1992). «Le traitement élémentaire de l'orthographe: les procédures graphiques», *Langue française*, n° 95, p. 27-48.

JAFFRÉ, J.-P., S. BOUSQUET et J. MASSONNET (1999). «Retour sur les orthographes inventées», dans J. Fijalkow (éd.), *Des enfants, des livres et des mots,* Toulouse, Presses Universitaires du Mirail, p. 91-107.

JAFFRÉ, J.-P. et J. DAVID (1998). *Premières expériences en litéracie, Psychologie et Éducation,* n° 33, p. 47-61.

JAFFRÉ, J.-P. et J. DAVID (1993). «Genèse de l'écriture et acquisition de l'écrit», *Études de linguistique appliquée,* n° 91, p. 112-127.

JAFFRÉ, J.-P. et M. FAYOL (1997). *Orthographes. Des systèmes aux usages,* Évreux, Flammarion.

JOHNSON, D.J. et J.F. CARLISLE (1996). «A Study of Handwriting in Written Stories of Normal and Learning Disabled Children», *Reading and Writing,* vol. 8, n° 1, p. 45-59.

JOHNSON, H.A. (1994). «Developmental Spelling Strategies of Hearing-Impaired Children», *Reading and Writing Quarterly: Overcoming Learning Difficulties,* vol. 10, n° 4, p. 359-367.

JONES, D. et C.A. CHRISTENSEN (1999). «Relationship Between Automaticity in Handwriting and Students' Ability to Generate Written Text», *Journal of Educational Psychology,* vol. 91, n° 1, p. 44-49.

KAUFMAN, A. et N. KAUFMAN (1995). *L'examen psychologique de l'enfant, K-ABC. Pratique et fondements théoriques,* Aubenas, La Pensée Sauvage.

LUIS, M.H. (1998). «De l'écriture en grande section de maternelle», *Revue du C.R.E.* (Centre de Recherche en Éducation), n° 14, p. 35-52.

LURIA, A.R. (1929/1983). «The Development of Writing in the Child», dans M. Martlew (éd.), *The Psychology of Written Language,* Chichester, John Wiley et Sons, p. 237-277.

MALRIEU, D. et F. RASTIER (2001). «Genres et variations morphosyntaxiques», *Traitement automatique des langues,* vol. 42, n° 2, p. 547-578.

McBRIDGE-CHANG, C. (1998). «The Development of Invented Spelling», *Early Education & Development,* n° 9, p. 147-160.

MILLER, H.M. (2002). «Spelling: From Invention to Strategies», *Voices from the Middle,* vol. 9, n° 3, p. 33-37.

MINISTÈRE DE L'ÉDUCATION DU QUÉBEC (2001). *Programme de formation de l'école québécoise: Éducation préscolaire, enseignement primaire,* Québec.

MONTÉSINOS-GELET, I. (2001a). «Étude de l'impact d'une situation de production coopérative d'orthographes inventées sur la construction de la dimension phonogrammique chez des enfants de maternelle», *Actes de la III Conference for Sociocultural Research*, [En ligne], [www.fae.unicamp.br/br2000/trabs/ 1570.doc] (consulté le 2 mars 2006).

MONTÉSINOS-GELET, I. (2001b). «Quelles représentations de notre système d'écriture ont les enfants au préscolaire?», *Québec français*, nº 122, p. 33-37.

MONTÉSINOS-GELET, I. (1999). *Les variations procédurales au cours du développement de la dimension phonogrammique du français: recherches auprès d'enfants scolarisés en grande section maternelle en France*, Thèse de doctorat, Université Lumière Lyon 2, Lyon, France.

MONTÉSINOS-GELET, I. et J.-M. BESSE (2003). «La séquentialité phonogrammique en production d'orthographes inventées», *Revue des Sciences de l'Éducation*, vol. XXIX, nº 1, p. 159-170.

MONTÉSINOS-GELET, I. et M.-F. MORIN (2005). «The Impact of a Cooperative Approximate Spelling Situation in a Kindergarten Setting», *L1-Educational Studies in Language and Literature*, vol. 5, nº 3, p. 365-383.

MONTÉSINOS-GELET, I. et M.-F. MORIN (2001). «S'approcher de la norme orthographique en 1re année du primaire: qu'en est-il de la pluralité des conceptions linguistiques?», *Archives de psychologie*, vol. 69, nos 270-271, p. 159-176.

MONTÉSINOS-GELET, I. et M.F MORIN (2001-2004). *Impact d'une situation de production collaborative d'orthographes inventées sur la construction de la dimension phonogrammique chez des enfants de maternelle*, Subvention FCAR nouveau chercheur.

MORIN, M.F. (2004). «Comprendre et prévenir les difficultés en écriture chez le jeune enfant en examinant les orthographes approchées et les commentaires métagraphiques» dans J.-C. Kalubi et G. Debeurme (dir.), *Identités professionnelles et interventions scolaires. Contextes de formation de futurs enseignants*, Sherbrooke, Éditions du CRP, p. 145-173.

MORIN, M.-F. (2002). *Le développement des habiletés orthographiques chez des sujets francophones entre la fin de la maternelle et de la première année du primaire*, Thèse de doctorat, Université Laval, Québec, Canada.

MORIN, M.F. et I. MONTÉSINOS-GELET (2005). «Les habiletés phonogrammiques en écriture à la maternelle: Comparaison de deux contextes francophones différents France-Québec», *Revue canadienne de l'éducation*, vol. 28, nº 3, p. 1-23.

MORIN, M.F. et I. MONTÉSINOS-GELET (2003). «Les commentaires métagraphiques en situation collaborative d'écriture chez des enfants de maternelle», *Archives de psychologie*, nº 70, p. 41-65.

MORIN, M.-F., H. ZIARKO et I. MONTÉSINOS-GELET (2003). «L'état des connaissances de jeunes scripteurs en maternelle», *Psychologie et Éducation*, vol. 3, nº 54, p. 83-100.

NICHOLSON, M.-J.S. (1996). *The Effect of Invented Spelling on Running Word Counts in Creative Writing*, Mémoire de maîtrise, Kean College of New Jersey.

PAOLETTI, R. (1999). *Éducation et motricité de l'enfant de 2 à 8 ans*, Montréal, Gaëtan Morin Éditeur.

PAOLETTI, R. (1994). «Les composantes motrices de l'écriture manuscrite : enquête sur les pratiques pédagogiques en maternelle et en première année», *Revue des sciences de l'éducation*, vol. 20, n° 2, p. 317-329.

PARENT, J. et M.-F. MORIN (2005). «Observer les stratégies de l'apprenti lecteur/scripteur pour mieux l'accompagner», *Québec français*, n° 138, p. 58-60.

PRENOVEAU, J. (2004). «Une approche de la lecture et de l'écriture entièrement centrée sur l'élève : un bilan positif de la première année d'expérimentation», *Vie pédagogique*, n° 131, p. 10-11.

PROULX, P. et collab. (2002). *Jeter les bases de la scolarisation au plan social et cognitif*, Montérégie, Éducation préscolaire, Comité Jeter les bases de la scolarisation, Projet de recherche-action.

PROULX, P. et collab. (2002). *Recherche collaborative sur le thème de l'éveil à l'écrit au préscolaire à travers des situations de production coopérative d'orthographes approchées*, MÉQ.

READ, C. (1986). *Children's Creative Spelling*, London, Routledge and Kegan Paul.

READ, C. (1971). «Pre-School Children's Knowledge of English Phonology», *Harvard Educational Review*, n° 41, p. 1-34.

RICHGELS, D.J. (1995). «Invented Spelling Ability and Printed Word Learning in Kindergarten», *Reading Research Quarterly*, n° 30, p. 96-109.

RICHGELS, D.J. (1987). «Experimental Reading with Invented Spelling (ERIS): A Preschool and Kindergarten Method», *The Reading Teacher*, n° 40, p. 522-529.

RIEBEN, L. (2003). «Écriture inventée et apprentissage de la lecture et de l'orthographe», *Faits de langue*, n° 14, p. 27-36.

RIEBEN, R. et collab. (2005). «Effects of Various Early Writing Practices on Reading and Spelling», *Scientific Studies of Reading*, vol. 9, n° 2, p. 145-166.

RIOJAS CLARK, E. (1995). «How Did You Learn to Write in English when You Haven't Been Taught in English ?: The Language Experience Approach in a Dual Language Program», *Bilingual Research Journal*, vol. 19, n°s 3-4, p. 611-627.

RUBIN, H. et N.C. EBERHARDT (1996). «Facilitating Invented Spelling Through Language Analysis Instruction: An Integrated Model», *Reading and Writing: An Interdisciplinary Journal*, n° 8, p. 27-43.

SARRAZIN, C. (1992). *Les aventures de Méninge,* Commission scolaire de Beauport.

SHANAHAN, T. (1980). « The Impact of Writing Instruction on Learning to Read », *Reading World,* n° 19, p. 347-368.

SHILLING, W.A. (1997). « Young Children Using Computers To Make Discoveries About Written Language », *Early Childhood Education Journal,* vol. 24, n° 4, p. 253-259.

SILVA, C. et M. ALVES MARTINS (2003). « Relations Between Children's Invented Spelling and the Development of Phonological Awareness », *Educational Psychology,* vol. 23, n° 1, p. 3-16.

SIPE, L.R. (2001). « Invention, Convention, and Intervention : Invented Spelling and the Teacher's Role », *The Reading Teacher,* vol. 55, n° 3, p. 264-273.

SNOW, C., M.W. BURNS et P. GRIFFIN (1998). *Preventing reading difficulties in young children,* Washington, National Academy Press.

STANOVICH, K. (1986). « Matthew Effects in Reading : Some Consequences of Individual Differences in the Acquisition of Literacy », *Reading Research Quarterly,* n° 21, p. 360-470.

TANGEL, D. M. et B.A. BLACHMAN (1992). « Effect of Phoneme Awareness Instruction on Kindergarten Children's Invented Spelling », *Journal of Reading Behavior,* vol. 24, n° 2, p. 233-261.

TEBEROSKY, A. (1982). « Construccion de escrituras a través de la interaccion grupal », dans E. Ferreiro et M. Gomez Palacio (éd.), *Nuevas perspectivas sobre los procesos de lectura y escritura,* Mexico City, Siglo XXI.

TREIMAN, R. et D. BOURASSA (2000). « The Development of Spelling Skill », *Topics in Language Disorders,* vol. 20, n° 3, p. 1-18.

UHRY, J.K. (1999). « Invented Spelling in Kindergarten : The Relationship with Finger-Point Reading », *Reading and Writing : An Interdisciplinary Journal,* vol. 11, n°s 5-6, p. 441-464.

VARNHAGEN, C.K., M. McCALLUM et M. BURSTOW (1997). « Is Children's Spelling Naturally Stage-Like ? », *Reading and Writing : An Interdisciplinary Journal,* n° 9, p. 451-481.

VERNON, S.A. et É. FERREIRO (1999). « Writing Development : A Neglected Variable in the Consideration of Phonological Awareness », *Harvard Educational Review,* vol. 69, n° 4, p. 395-415.

VYGOTSKY. (1930/1978). *Mind in society : The Development of Higher Psychological Processes,* dans M. Cole, V. John-Steiner, S. Scribner et E. Souberman, (éd.), Cambridge, Massachussets, Harvard, University Press.

WINSOR, P.J. et P.D. PEARSON (1992). *Children at Risk : Their Phonemic Awareness Development in Holistic Instruction,* Urbana, Illinois, Center for the Study of Reading (ERC document numéro ED 345 209).

Livres de littérature jeunesse mentionnés dans cet ouvrage

AHLBERG, Janet et Allan AHLBERG (1987). *Le gentil facteur ou Lettres à des gens célèbres,* Paris, Albin Michel Jeunesse, 27 p.

APOLLINAIRE, G. (1918). *Calligrammes,* Paris, Gallimard.

BERTHELET, Manon (2002). *Le monstre de mousse,* illustrations de Benoît Laverdière, Mont-Royal, Le Raton-Laveur, 24 p.

BICHONNIER, Henriette (2003). *Le monstre poilu,* illustrations de Pef, Paris, Gallimard Jeunesse, 32 p. (coll. Folio Benjamin).

BROUSSEAU, Linda (2002). *Une flèche pour Cupidon,* illustrations de Marie-Claude Favreau, Saint-Lambert, Soulière éditeur, 69 p. (coll. « Ma petite vache a mal aux pattes »).

DEMERS, Dominique (2003). *L'oiseau des sables,* illustrations de Stéphane Poulin, Saint-Lambert, Dominique et compagnie, 30 p.

DEMERS, Dominique (2002). *Annabel et la Bête,* illustrations de Stéphane Poulin, Saint-Lambert, Dominique et compagnie, 30 p.

DEMERS, Dominique (2000). *Vieux Thomas et La Petite Fée,* illustrations de Stéphane Poulin, Saint-Lambert, Dominique et compagnie, 30 p.

EISNER, Will (1988). *Soleil d'automne à sunshine city,* Glenatu.

FRANQUIN (1966). *Spirou et Fantasio : QRN sur Bretzelburg,* n°18, Belgique, Dupuis.

GAUDIERI, A. et P. THÉBERGE (1986). *Miró à Montréal,* Montréal, Musée des beaux-arts de Montréal, 269 p.

LAMARCHE, Hélène (1986). *Le Miró des enfants,* illustrations de Joan Miró, Montréal, Musée des beaux-arts de Montréal, 26 p.

LANGEN, A. et C. DROOP (2001). *Félix fait le tour du monde. Lettres de mon lapin,* Paris, Jeu d'aujourd'hui.

LONG, Melinda (2004). *Comment je suis devenu pirate,* illustrations de David Shannon, Markham, Scholastic, 40 p.

MAJOR, Henriette (2004). *Les devinettes d'Henriette,* illustrations de Philippe Béha, Montréal, Hurtubise HMH, 88 p.

MEGRIER, Dominique (1999). *100 poèmes à lire et à dire,* Paris, Retz, 192 p. (coll. « Pédagogie pratique »).

SENDAK, Maurice (1967). *Max et les maximonstres,* Paris, L'école des loisirs, 38 p.

TREMBLAY, C. et V. EGGER (2003). *Recette d'éléphant à la sauce vieux pneu,* Montréal, Les 400 coups, 24 p.

VAN, Allsburg, C. (1994). *Les mystères de Harris Burdick,* Paris, École des Loisirs, 31 p.

(1997). *365 mots drôlement illustrés. Les Incollables,* Paris, Éditions Play Bac.

Annexes

Annexe 1 – Les phonèmes du français et les phonogrammes correspondants

Voyelles

Phonème	Phonogramme simple	Phonogramme avec diacritique	Digramme ou trigramme
[i]	i, lit y, lys	ï, naïf î, dîner	hi, trahi ee, meeting
[e]		é, dé	er, jouer ez, chantez
[ɛ]	e, merci	è, sève ê, guêpe ë, Noël	ai, lait ei, merveille oe, fœtus ae, et cætera aî, paître eî, reître ea, break
[a]	a, rat	à, voilà	em, prudemment
[ɑ]	a, basse	â, pâte	en, solennel aon, paonne
[ɔ]	o, donner	ü (m), capharnaüm	oo, alcool aô, Saône
[o]		ô, dôme	au, auto eau, eau ho, cahot
[u]		où, d'où oû, croûte aoû, août	ou, poux aou, saoul oo, football où, d'où oû, croûte aoû, août
[y]	u, battu	û, bûche ü, Saül	hu, cahute eu, j'ai eu
[ø]		eû, jeûne	eu, adipeux oeu, vœux eû, jeûne
[œ]	u, club		eu, peur
[ə]	e, meringue		ue, cueillir ai, faisons on, monsieur

(suite ►)

Voyelle (*suite*)

Phonème	Phonogramme simple	Phonogramme avec diacritique	Digramme ou trigramme
[ɛ̃]			in, f**in** im, **im**pact en, B**en**jamin ain, ét**ain** ein, dess**ein** aim, f**aim** yn, **syn**thèse ym, **sym**phonie
[ɑ̃]			an, d**an**s am, Ad**am** en, mom**en**t em, **em**barrassant aon, f**aon** aen, C**aen**
[ɔ̃]			on, tal**on** om, p**om**pe un, p**un**ch
[œ̃]			un, comm**un** um, parf**um** eun, à j**eun**

Glides

Phonème	Phonogramme simple	Phonogramme avec diacritique	Digramme ou trigramme	
[j]	i, p**i**ed y, ba**y**ou	ï, a**ï**eux	hi, **hi**er hy, **hy**ène	il, trava**il** ill, si**ll**age
[w] [wa]	w, **w**ater u, jag**u**ar	oî, cr**oî**t oê, p**oê**le	[wa] oi, cr**oi**ssance oua, g**oua**che oe, m**oe**lle oî, cr**oî**t oê, p**oê**le [wɛ̃] oin, bes**oin** ouin, maring**ouin** ooing, shamp**ooing**	
[ɥ] [ɥi]			[ɥi] ui, br**ui**t	

Consonnes

Phonème	Phonogramme simple	Phonogramme avec diacritique	Digramme ou trigramme
[p]	p, **p**omme		pp, na**pp**e
[t]	t, **t**résor		tt, bo**tt**e th, **th**éâtre
[k]	c, **c**ritiquer k, **k**oala q, co**q**		qu, **qu**itter cc, a**cc**order cqu, a**cqu**itter ck, ti**ck**et ch, te**ch**nique cch, sa**cch**arine
[b]	b, **b**on**b**on		bb, a**bb**é
[d]	d, **d**iète		dd, a**dd**ition
[g]	g, **g**ant		gu, ba**gu**e c, se**c**ond gg, a**gg**raver gh, **gh**etto
[f]	f, **f**iole		ff, a**ff**aire ph, **ph**iloso**ph**ie
[s]	s, **s**el c, dou**c**e t (+ i), na**t**ion	ç, fa**ç**on	ss, bra**ss**er sth, a**sth**me sc, **sc**ience x, soi**x**ante
[ʃ]			ch, **ch**ien sh, **sh**ampoing sch, **sch**éma
[v]	v, **V**alérie w, **w**agon		
[z]	z, **z**èbre s (intervoc.), mai**s**on x, deu**x**ième		zz, me**zz**anine
[ʒ]	j, **j**e g, **g**entil		ge, ti**ge**
[l]	l, so**l**eil		ll, vi**ll**e
[r]	r, aveni**r**		rr, gue**rr**e rh, **rh**ume
[m]	m, **m**a**m**an		mm, go**mm**e
[n]	n, **n**éant		nn, bo**nn**e
[ɲ]			gn, gro**gn**on ign, o**ign**on
[']	h, **h**éros (sans liaison)		
[ŋ]			ng, parki**ng**

Annexe 2 – L'intégration des pratiques d'orthographes approchées au préscolaire : ce qu'en dit le Programme de formation de l'école québécoise

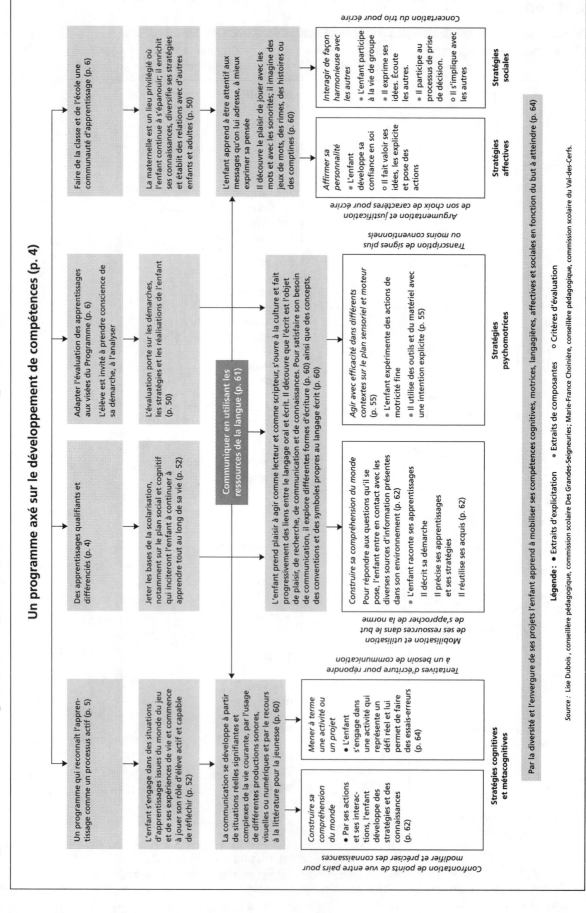

Un programme axé sur le développement de compétences (p. 4)

Des apprentissages qualifiants et différenciés (p. 4)

Un programme qui reconnaît l'apprentissage comme un processus actif (p. 5)

Adapter l'évaluation des apprentissages aux visées du Programme (p. 6)
L'élève est invité à prendre conscience de sa démarche, à l'analyser

Faire de la classe et de l'école une communauté d'apprentissage (p. 6)

L'enfant s'engage dans des situations d'apprentissages issues du monde du jeu et de ses expériences de vie et commence à jouer son rôle d'élève actif et capable de réfléchir (p. 52)

Jeter les bases de la scolarisation, notamment sur le plan social et cognitif qui inciteront l'enfant à continuer à apprendre tout au long de sa vie (p. 52)

L'évaluation porte sur les démarches, les stratégies et les réalisations de l'enfant (p. 50)

La maternelle est un lieu privilégié où l'enfant continue à s'épanouir; il enrichit ses connaissances, diversifie ses stratégies et établit des relations avec d'autres enfants et adultes (p. 50)

La communication se développe à partir de situations réelles signifiantes et complexes de la vie courante, par l'usage de différentes productions sonores, visuelles ou numériques et par le recours à la littérature pour la jeunesse (p. 60)

Communiquer en utilisant les ressources de la langue (p. 61)

L'enfant apprend à être attentif aux messages qu'on lui adresse, à mieux exprimer sa pensée
Il découvre le plaisir de jouer avec les mots et avec les sonorités; il imagine des jeux de mots, des rimes, des histoires ou des comptines (p. 60)

L'enfant prend plaisir à agir comme lecteur et comme scripteur, s'ouvre à la culture et fait progressivement des liens entre le langage oral et écrit. Il découvre que l'écrit est l'objet de plaisir, de recherche, de communication et de connaissances. Pour satisfaire son besoin de communication, il explore différentes formes d'écriture (p. 60) ainsi que des concepts, des conventions et des symboles propres au langage écrit (p. 60)

Concertation du trio pour écrire

Interagir de façon harmonieuse avec les autres
* L'enfant participe à la vie de groupe
* Il exprime ses idées. Écoute les autres.
* Il participe au processus de prise de décision.
o Il s'implique avec les autres

Stratégies sociales

Affirmer sa personnalité
* L'enfant développe sa confiance en soi
o Il fait valoir ses idées, les explicite et pose des actions

Stratégies affectives

Argumentation et justification de son choix de caractères pour écrire

Transcription de signes plus ou moins conventionnels

Agir avec efficacité dans différents contextes sur le plan sensoriel et moteur (p. 55)
* L'enfant expérimente des actions de motricité fine
* Il utilise des outils et du matériel avec une intention explicite (p. 55)

Stratégies psychomotrices

Construire sa compréhension du monde
Pour répondre aux questions qu'il se pose, l'enfant entre en contact avec les diverses sources d'information présentes dans son environnement (p. 62)
* L'enfant raconte ses apprentissages
Il décrit sa démarche
Il précise ses apprentissages et ses stratégies
Il réutilise ses acquis (p. 62)

Mobilisation et utilisation de ses ressources dans le but de s'approcher de la norme

Tentatives d'écriture pour répondre à un besoin de communication

Mener à terme une activité ou un projet
* L'enfant s'engage dans une activité qui représente un défi réel et lui permet de faire des essais-erreurs (p. 64)

Construire sa compréhension du monde
* Par ses actions et ses interactions, l'enfant développe des stratégies et des connaissances (p. 62)

Stratégies cognitives et métacognitives

Confrontation de points de vue entre pairs pour modifier et préciser des connaissances

Légende : • Extraits d'explicitation   * Extraits de composantes   o Critères d'évaluation

Par la diversité et l'envergure de ses projets l'enfant apprend à mobiliser ses compétences cognitives, motrices, langagières, affectives et sociales en fonction du but à atteindre (p. 64)

Source : Lise Dubois, conseillère pédagogique, commission scolaire Des Grandes-Seigneuries; Marie-France Choinière, conseillère pédagogique, commission scolaire du Val-des-Cerfs.

Chenelière/Didactique

Un cerveau pour apprendre
Comment rendre le processus enseignement-
apprentissage plus efficace
David A. Sousa

Un cerveau pour apprendre... différemment!
Comprendre comment fonctionne le cerveau des élèves
en difficulté pour mieux leur enseigner
David A. Sousa, Brigitte Stanké, Gervais Sirois

Vivre la pédagogie du projet collectif
Collectif Morissette-Pérusset

C **CITOYENNETÉ ET COMPORTEMENT**

Choisir de changer
Neuf stratégies gagnantes
Francine Bélair

Citoyens du monde
Éducation dans une perspective mondiale
Véronique Gauthier

Collection Rivière Bleue
Éducation aux valeurs par le théâtre
Louis Cartier, Chantale Métivier
• LES PETITS PLONGEONS (l'estime de soi, 6 à 9 ans)
• LES YEUX BAISSÉS, LE CŒUR BRISÉ (la violence,
  6 à 9 ans)
• SOIS POLI, MON KIKI (la politesse, 6 à 9 ans)
• AH! LES JEUNES, ILS NE RESPECTENT RIEN
  (les préjugés, 9 à 12 ans)
• COUP DE MAIN (la coopération, 9 à 12 ans)
• BRIS ET GRAFFITIS (le vandalisme, 9 à 12 ans)
• CAPRICES ET PETITS BOBOS (les caprices, 6 à 9 ans)
• ARRÊTE, CE N'EST PAS DRÔLE! (l'intimidation, 9 à
  12 ans)

Droits et libertés... à visage découvert
Au Québec et au Canada
Sylvie Loslier, Nicole Pothier

Et si un geste simple donnait des résultats...
Guide d'intervention personnalisée auprès des élèves
Hélène Trudeau et coll.

J'apprends à être heureux
Robert A. Sullo

**La réparation: pour une restructuration
de la discipline à l'école**
Diane C. Gossen
• MANUEL
• GUIDE D'ANIMATION

La théorie du choix
William Glasser

**L'éducation aux droits et aux responsabilités
au primaire**
*Commission des droits de la personne et des droits
de la jeunesse du Québec*

**L'éducation aux droits et aux responsabilités
au secondaire**
*Commission des droits de la personne et des droits
de la jeunesse du Québec*

Mon monde de qualité
Carleen Glasser

**PACTE: Un programme de développement
d'habiletés socio-affectives**
B. W. Doucette, S. M. Fowler
• TROUSSE POUR 4e À 7e ANNÉE (PRIMAIRE)
• TROUSSE POUR 7e À 12e ANNÉE (SECONDAIRE)

Programme d'activités en service de garde
Activités pédagogiques journalières
Andrée Laforest
• TOME 1
• TOME 2

Vivre en équilibre
Des outils d'animation et d'intervention de groupe
Francine Bélair

Ec **ÉDUCATION À LA COOPÉRATION**

Ajouter aux compétences
Enseigner, coopérer et apprendre au postsecondaire
Jim Howden, Marguerite Kopiec

Apprendre la démocratie
Guide de sensibilisation et de formation selon
l'apprentissage coopératif
C. Évangéliste-Perron, M. Sabourin, C. Sinagra

Apprenons ensemble
L'apprentissage coopératif en groupes restreints
Judy Clarke et coll.

Coopérer à cinq ans
*Johanne Potvin, Caroline Ruel, Isabelle Robillard,
Martine Sabourin*

Coopérer pour réussir
Scénarios d'activités coopératives pour développer
des compétences
*M. Sabourin, L. Bernard, M.-F. Duchesneau, O.
Fugère, S. Ladouceur, A. Andreoli, M. Trudel, B.
Campeau, F. Gévry*
• PRÉSCOLAIRE ET 1er CYCLE DU PRIMAIRE
• 2e ET 3e CYCLES DU PRIMAIRE

Découvrir la coopération
Activités d'apprentissage coopératif
pour les enfants de 3 à 8 ans
B. Chambers et coll.

Je coopère, je m'amuse
100 jeux coopératifs à découvrir
Christine Fortin

La coopération au fil des jours
Des outils pour apprendre à coopérer
Jim Howden, Huguette Martin

7001, boul. Saint-Laurent, Montréal (Québec) Canada H2S 3E3
Tél. : (514) 273-1066 • Téléc. : (514) 276-0324 ou 1 800 814-0324 • Service à la clientèle : (514) 273-8055 ou 1 800 565-5531
www.cheneliere.ca • info@cheneliere.ca